Internetgodinnen

Suzan Eikelenstam

Internetgodinnen

Start je eigen webshop in tien stappen

Eerste druk november 2010
Tweede druk december 2010

ISBN 978-90-225-5746-4
NUR 320

Omslagontwerp: Studio Jan de Boer
Foto auteur: © Sietske Raaijmakers
Zetwerk: Mat-Zet bv, Soest

Voor Joop Hekker

Inhoud

Inleiding

ONLINECONSUMENTENBESTEDINGEN 2009 GROEIEN MET 17% NAAR 6,38 MILJARD EURO

WEEKBLAD *GRAZIA* BEGINT WEBSHOP

DANIËL ROPERS VAN BOL.COM NAAR *TELEGRAAF*

ONDANKS CRISIS VERLAGEN WEBWINKELIERS MARKETINGBUDGETTEN NIET

THUISWINKELMARKT GROEIT, KLEDING GROTE STIJGER

NIEUWE ONLINEKOPERS ZIJN VAKER VROUWEN

VROUWELIJKE ONDERNEMERS: ONLINEVERKOPERS OF -DIENSTVERLENERS

Bovenstaande krantenkoppen stammen uit eind 2009, begin 2010. Ze hebben met elkaar gemeen dat ze iets zeggen over de toekomst van de e-commerce in Nederland. Uit onderzoek van Blauw Research en Thuiswinkel.org bleek dat de sector zelfs in de crisis met 17 procent(!) groeide, terwijl de traditionele retail de gemiddelde omzet zag afnemen. Grote uitgeefconcerns trokken e-tailspecialisten aan om te profiteren van hun kennis. Het uitgeven van boeken, bladen en nieuwssites is vanaf 2010 niet meer afdoende, de consument wil online kopen!

Vooral op de vrouwelijke consument wordt gejaagd, omdat zij steeds meer producten en diensten online blijkt af te nemen en zij online winkelen als een van haar favoriete bezigheden blijkt te zien. Weekblad *Grazia* opende in het voorjaar van 2010 de digitale deuren van Graziashop.nl. Het liep gelijk storm. *Libelle* volgde. Modemaandblad *Elle* kon niet achterblijven en maakte in juni 2010 een beginnetje met Elle.nl/shop. Het idee van de bladenmakers: wat je in ons blad ziet, kun je op onze site meteen even afrekenen. En het werkt!

Er wordt niet alleen veel geschreven over al het moois dat je online kunt kopen, de media storten zich ook vol overgave op de ondernemersverhalen van vrouwelijke webwinkeliers, van wie enkelen zelfs bijna BN'ers zijn geworden door hun succes. Vrouwen met een eigen webwinkel zijn niet zomaar een mediahype; cijfers van de Kamer van Koophandel staven dat het een opmerkelijke trend is. Van alle ondernemers in Nederland is 28 procent vrouw. In de thuiswinkelbranche is 42 procent van de zelfstandigen vrouw en dat aantal is de laatste jaren steeds sneller gaan groeien.

Dit boek richt zich dan ook sterk op ambitieuze of creatieve moderne vrouwen, omdat er voor hen zoveel kansen in de e-tail zijn, waarmee zij zichzelf verder kunnen ontwikkelen in een sector die bij hen past: winkelen en het internet. Maar ook als je een man bent, of een vrouw die geen webwinkel wil beginnen, als je allang een webwinkel hebt, als je je al dan niet professioneel verdiept in e-commerce en zelfs als je een traditionele mkb'er bent, eigenaar of manager van een fysieke winkel, is het geen slecht idee om dit boek eens door te bladeren.

Wat levert *Internetgodinnen* de lezer(es) dan op? Een waarheidsgetrouw verhaal over een branche die maar blijft pieken en waarom, verteld door hen die er veel verstand van hebben. Ik stel je voor aan experts op dit gebied, uit de media en het bedrijfsleven. En aan vijf vrouwen van verschillende leeftijden en met verschillende achtergronden die gemeen hebben dat zij met hun webwinkels de top bereik(t)en. Je kent hen misschien uit de bladen en bent vast over ze gestruikeld op internet. Zij zijn echter voorbeelden van gewone vrouwen als jij en ik, die droomden van een leven waarin ze niet alleen maar met een van-9-tot-5-baan en/of een gezin bezig zijn, maar ook met het verwerkelijken van hun passie. De internetbedrijven van deze dames zijn allemaal geboren uit iets wat zijzelf leuk vonden of uit iets waar zijzelf behoefte aan hadden. Dat zij van een soort hobby een goed lopende business wisten te maken, enkelen zelfs met een miljoenenomzet, maakt deze vrouwen tot echte internetgodinnen, wier portretten je zullen verrassen en inspireren.

En wil je zelf aan de slag? Ik leg je in 10 overzichtelijke stappen uit hoe jij van jouw interesses een aardige bijverdienste of zelfs je broodwinning kunt maken. Daarvoor gebruik ik mijn eigen kennis en de resultaten uit mijn research, maar ook zij die het allemaal zelf in de praktijk hebben ervaren, komen aan het woord en geven gouden tips. Je zult zien dat het echt geen hogere wetenschap is, iedereen met een gezond stel hersenen kan dit. Het is ook niet per se nodig om bakken met geld te investeren. Sterker nog, het is zelfs mogelijk om met € 0,- te beginnen. Maar één ding kost het je altijd: tijd. En enig enthousiasme, creativiteit en doorzettingsvermogen. Dat er een verschil is tussen een onlinehobbywinkeltje, een webwinkel waarmee je je boterham verdient en een webwinkel waarmee je de boterham van enkele medewerkers betaalt, leer je ook en je maakt hierin een keuze voor jezelf.

Van het bedenken van een naam en het bouwen van een site, van inkopen tot service verlenen en van klanten binden tot free publicity verkrijgen, alle belangrijke onderwerpen voor de succesvolle (door)start van jouw webwinkel komen aan bod. En voor de slimme inkopers onder jullie; in het laatste hoofdstuk vind je fijne kortingen op zaken waar je als internetondernemer in spe niet buiten kunt!

Stap 1

Je huiswerk maken

Een slimme meid…

Het starten van een onderneming, hoe groot of klein ook, begint altijd met het bestuderen van de markt. Dat geldt dus ook voor jou, als beginnende webwinkelier. Voor het gemak stellen we nu vast dat jouw markt 'de Nederlandse thuiswinkelmarkt' heet. Over deze markt, die natuurlijk alles te maken heeft met het internet, is online veel informatie beschikbaar: statistieken, cijfers en onderzoeken naar de grootte van deze markt, de toename van die grootte, de groeisnelheid, verschuivingen enzovoorts. De belangrijkste feiten en cijfers vind je in dit eerste hoofdstuk. Daarnaast raad ik je aan om regelmatig een kijkje te nemen op sites als www.thuiswinkel.org, die continu actuele informatie over de markt bieden.

Dat de eerste alinea van dit boek over studeren, cijfers en andere droge materie gaat, vind je misschien saai. Ik heb goed nieuws. Ten eerste is het al voldoende als je even kennis neemt van de feiten, je hoeft echt geen cijfers uit je hoofd te leren. Ten tweede gaat het om positieve, zeer vrolijk stemmende getallen, percentages en feiten. Ten derde kun je uit deze informatie afleiden waar jouw Grote Kansen als webshopeigenaar in spe liggen.

Feit is dat steeds meer traditionele sectoren uit de Nederlandse retail, die in de beginjaren van de e-commerce niets moesten hebben van webwinkels, nu een inhaalslag maken. Zoals de kledingbranche. Steeds meer merken, exclusief of niet, beginnen een eigen webshop om aan de wensen van hun klanten tegemoet te komen. In 2010 startte Monique Collignon als eerste topcouturier van Nederland haar webwinkel Shop.moniquecollignon.com. Ik vroeg haar naar het hoe en waarom van deze stap. Wat waren de reacties van haar clientèle, van andere couturiers, en welke plannen heeft zij verder voor haar webwinkel?

Toen, nu en straks in cijfers

Heb jij wel eens bijgehouden hoeveel je in een jaar online hebt uitgegeven? Niet? Dat is maar goed ook, je zou er best eens van kunnen schrikken. Uit onderzoek blijkt dat we – gemiddeld genomen – per hoofd van de bevolking een flink gat in onze muishand hebben. In 2009 gaven we per persoon gemiddeld € 737 euro uit aan online-aankopen zoals reizen, tickets, kaartjes voor concerten en voorstellingen en consumentenelektronica. Dat is maar liefst 13 procent meer dan het jaar ervoor, in 2008 was het gemiddelde bedrag € 655. In 2007 € 585. En, dames, omdat steeds meer nieuwe onlinekopers van het vrouwelijke geslacht zijn, is er in 2009 ook flink meer geld online gespendeerd aan kleding, schoenen, modeaccessoires en verzorgingsproducten. Relatief gezien kan deze sector dan ook nog fors groeien.

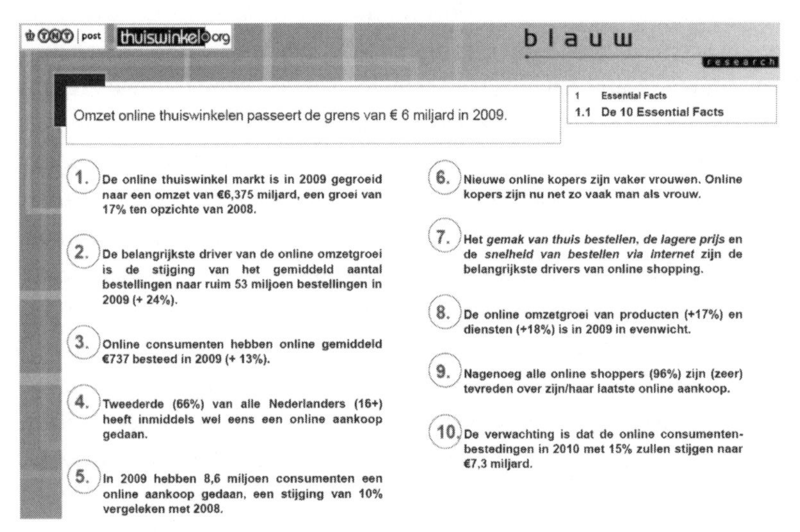

Thuiswinkel.org en Blauw Research kwamen in april 2010 met de meest essentiële feiten over 2009.

Dat we in 2009 collectief meer geld in webwinkels hebben uitgegeven, komt niet doordat we ineens allemaal duurdere spullen zijn gaan kopen. Nee, we hebben gewoon vaker iets online besteld. De cijfers zijn indrukwekkend. In 2009 kwam het aantal internetbestellingen 24 procent hoger uit dan in 2008, een aanzienlijke groei dus. Die groei werd veroorzaakt door het feit dat de populatie van internetshoppers steeds vaker en meer tevreden is over het online bestelproces. Niet alleen voldoen de producten en diensten beter aan de verwachtingen die de klant vooraf had, maar ook wordt er steeds betere service verleend door de webwinkeliers, waardoor de klanten vaker willen bestellen. In 2009 gaf 96 procent van de door Blauw Research ondervraagde onlinekopers aan tevreden tot zeer tevreden te zijn.

Toekomst & kansen

Terwijl ik dit schrijf, zijn ook de eerste cijfers over 2010 in kaart gebracht door Thuiswinkel.org en Blauw Research. De onderzoekers hebben voorlopig geconcludeerd dat de relatieve groei van de e-tailsector in Nederland iets aan het afnemen is. In 2009 groeide het totale bedrag van de onlineconsumentenbestedingen met 17 procent naar 6,38 miljard. Voor 2010 wordt verwacht dat de groei afneemt naar 15 procent en dat we met z'n allen zo'n 7,3 miljard zullen uitgeven tijdens het webshoppen. In voorgaande jaren kwam het gemiddelde groeipercentage telkens op rond de 20 procent uit, wat gezien het feit dat de sector toen nog in zijn kinderschoenen stond, ook niet zo vreemd is. Omdat de markt op zich niet meer geheel nieuw is, zal deze zich stabiliseren. Maar er zullen zich legio verschuivingen voordoen, die evenzoveel kansen met zich mee zullen brengen. Kansen voor jou en je (startende) webwinkel.

Ik raad je aan om het volgende stukje tekst extra aandachtig te lezen.

De onderzoekers stellen dat er steeds meer zogenaamde 'frequent shoppers' en 'big spenders' komen en minder 'light shoppers' (personen die heel af en toe een kleine bestelling plaatsen) en dat de eerste twee groepen de meeste omzetgroei zullen realiseren. De theorie is dat een webwinkelier zich sterker op deze winkelaars zou moeten richten, omdat

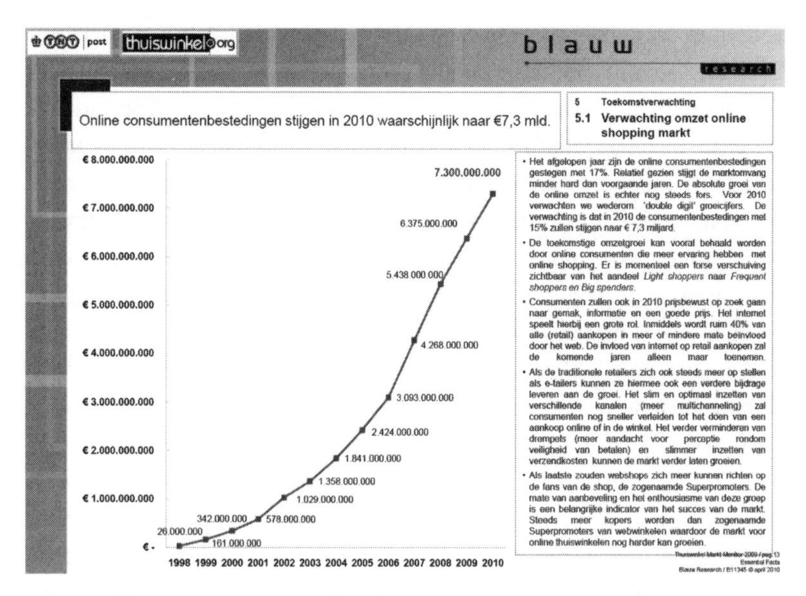

De voorspellingen voor ultimo 2010 zijn ook weer fijn.

er zich onder hen fans van de webwinkel bevinden, 'superpromotors' geheten. Deze superpromotors vertellen graag hun omgeving over hun fijne shopervaringen en overtuigen hen om het ook eens te proberen bij een bepaalde webwinkel.

En God schiep de vrouw

Saillant detail is dat de superpromotors eigenlijk superpromootsters zijn, het zijn namelijk vaker vrouwen dan mannen die hun vrienden en vriendinnen gevraagd en ongevraagd uitleggen hoe ze wat, waar en waarom hebben gekocht. Ze doen uitgebreide mededelingen over het product, de prijs ervan, de winkel waar ze hebben gekocht, andere winkels waar ze ook hebben gekeken en over hoe (on)tevreden ze zijn met product, prijs, levering en service. De toehoorster geeft op haar beurt haar mening over het product, prijs et cetera en vertelt over een winkelervaring die zij onlangs heeft opgedaan. Beide vrouwen slaan de informatie die ze net hebben gekregen goed op en nemen enige tijd later ook eens een kijkje in de besproken winkels. Ook als een vrouw geenszins van plan is om iets aan te schaffen, vindt ze het nog steeds leuk om online te 'window shoppen', kijken wat 'in' is en waar het wordt aangeboden en tegen welke prijs. Ook de kijken-niet-kopen-vrouw twittert, mailt of sms't plaatjes van artikelen en webadressen van internetwinkels door naar haar vriendinnen.

Een tendens die voorlopig ook door zal zetten is dat consumenten, zowel mannen als vrouwen, zich alvorens ze een aankoop doen, online oriënteren op de prijs. De aanbieder die op zo veel mogelijk onlineplaatsen zichtbaar is met producten en prijzen, is dus spekkoper.

Klantergernissen

De accountancymultinational Ernst & Young presenteerde in april 2010 zijn jaarlijkse onderzoek 'ICT Barometer', waarin hij de opinie van zo'n 600 managers en professionals uit het bedrijfsleven en bij de overheid peilt over onder andere de kwaliteit van het onlinewinkellandschap in Nederland. Van de ondervraagden koopt 60 procent elke maand wel een product online en 11 procent doet dat zelfs iedere week. Het gaat hier dus om hoogopgeleide, ervaren en daarom kritische onlineshoppers. Een groep die je als webwinkelier zeer tevreden wilt stellen en voor je onlinemarketingkarretje wilt spannen. Laat hen hun omgeving maar vertellen hoe goed jouw website, assortiment, prijzen, levering en service zijn! Wil je dit bereiken, dan zijn er volgens de respondenten van dit onderzoek drie dingen die je níét moet doen:

- De grootste ergernis van de onlinekoper zijn te hoge verzendkosten. De klant, die eerst de moeite heeft genomen om jouw webwinkel te bezoeken en je assortiment te bekijken, kiest een product en stopt het in haar digitale winkelmandje. Vervolgens wil ze afrekenen, maar dat kan niet zomaar, ze moet eerst nog een account aanmaken. Ze geeft haar gegevens op, wacht geduldig een bevestigingsmail af en klikt vervolgens op het activeringslinkje in die e-mail om door te kunnen gaan met haar bestelling. Komt ze eindelijk bij de kassa, dan blijkt dat je ook nog 10 euro verzendkosten vraagt en dat jij daardoor helemaal niet de goedkoopste leverancier van het product bent. Resultaat: je bijna-klant baalt en breekt de bestelling af, of ze koopt wel, maar is toch een teleurgestelde klant. Wat je kunt leren uit dit slechte scenario is dat je op verschillende plaatsen op je site duidelijk de verzendkosten dient te vermelden, zodat je bezoekers direct kunnen zien wat zij later bij de kassa moeten afrekenen. En proberen om iets te verdienen op de verzendkosten, kun je maar beter achterwege laten. Onlineshoppers zijn niet achterlijk, op de websites van TNT en andere bezorgdiensten kunnen zij precies zien wat een pakketje maximaal mag kosten. Vraag dus de gangbare tarieven voor verzending. En wil je echt iets voor je klanten doen? Geef dan eens korting op de verzendkosten, of bedenk een actie waarbij de klant helemaal geen verzendkosten hoeft te betalen!

- Op nummer 2 van de ergernissen-top 3 staat het tijdstip van aflevering. Het grote voordeel dat webwinkels bieden ten opzichte van traditionele winkels is gemak. Dat de klant waar ze maar wil en hoe laat ze maar wil, kan bestellen en het product dezelfde of de volgende dag nog in huis kan hebben. Wat zij graag wil, is met jou – haar leverancier – afspreken op welk adres, op welke dag en rond welk tijdstip zij haar bestelling kan verwachten, zodat er iemand aanwezig is om het pakketje aan te nemen. Maak die afspraken dan ook en houd je eraan. Je klant vindt het niet leuk en verre van gemakkelijk als de bezorger bij haar thuis aanbelt terwijl zij op haar werk zit en zij dan 's avonds een briefje vindt waarop staat dat ze haar pakketje op een donker en verlaten industrieterrein ergens buiten de stad moet ophalen.
- Onduidelijke communicatie over voorraad is de derde grote ergernis van onlineshoppers. Stel je voor: over twee dagen heb je een belangrijk galadiner. Je bent op zoek naar een *clutch* die mooi bij je avondjurk en schoenen past. Na een urenlange sessie websurfen vind je 'm! Bij die ene leuke webwinkel waar je vriendin het wel eens over heeft gehad, bestel je het avondtasje van je dromen. Maar twee dagen later heb je nog niets ontvangen. Verontrust doe je navraag bij de webwinkel. 'Ja, sorry, hij was niet meer op voorraad dus we hebben hem voor u besteld. Het tasje wordt binnen een week bij u bezorgd.' Daar sta je dan. Had de webwinkelier je dit eerder verteld, bijvoorbeeld door de voorraadinformatie over het assortiment duidelijk op de site te vermel-

den, of door contact met je op te nemen, dan had je nog iets anders kunnen regelen. Tip: Houd je voorraad goed bij en toon bij de plaatjes en specificaties van een product op de site ook of het product wel of niet op voorraad is. Is het product niet op voorraad? Vermeld dan hoe lang de levertermijn is.

INTERVIEW: Marktkenner bij uitstek: Wijnand Jongen van Thuiswinkel.org

Thuiswinkel.org is een belangenvereniging op het gebied van kopen en verkopen op afstand, dus via internet, catalogi en de post. Dé belangenvereniging kunnen we wel stellen, want er is maar één orgaan in deze branche dat zowel de belangen van ondernemers als die van consumenten behartigt. Thuiswinkel.org bestaat uit een bestuur, waarin grote experts uit de branche zitting nemen, en uit verschillende werkgroepen en commissies die zich inzetten voor ondernemers en voor consumenten die thuiswinkelen. Wat doen ze dan precies?

Thuiswinkel.org lobbyt voor verbetering van de wet- en regelgeving voor het thuiswinkelen. Ook treedt ze op als kennisorgaan voor iedereen die meer wil weten van de Nederlandse en de internationale e-commercemarkt. Thuiswinkel.org organiseert congressen, workshops en andere evenementen zoals de Thuiswinkel Awards, waar met name internetondernemers naartoe gaan om te netwerken met elkaar en de pers. Lees je in een blad, krant of online iets over e-commerce in Nederland, dan is de kans groot dat de journalist zijn informatie deels bij Thuiswinkel.org heeft ingewonnen. En wel bij... Wijnand Jongen, directeur en woordvoerder van de organisatie. Ik stelde de drukbezette directeur een aantal vragen terwijl hij in zijn auto op weg was naar een van zijn vele afspraken. In onderstaand interview lees je welke toegevoegde waarde het voor jouw webwinkel kan hebben als je lid bent van Thuiswinkel.org.

'Mijn secretaresse koopt online mijn overhemden.'

Als het aan hem lag, zou de digitale ombudsman nog veel meer online shoppen dan zijn agenda nu toelaat. Al sinds 2000 – het jaar waarin Thuiswinkel.org werd opgericht – vervult Wijnand Jongen de rol van directeur en woordvoerder en bekleedt hij functies van betekenis in de vele comités van aanbeveling, stichtingen en raden die de sector inmiddels al kent. Daarnaast is hij een alleenstaande vader van vier kinderen. 'Mijn secretaresse koopt online mijn overhemden. We hebben een webwinkel gevonden die precies het soort hemden biedt waar ik van houd, heel handig. Ik vind online shoppen een leuke bezigheid, maar door tijdgebrek blijft het voor mij helaas beperkt tot snel het hoognodige bekijken en gelijk afrekenen. Als ik al zelf ga kijken voor iets, dan zijn mijn aankopen dvd's, cd's, boeken en ander home-entertainmentspul. En reizen. O, en als de kinderen iets willen hebben, wat vaak voorkomt, dan koop ik dat ook online.'

Je weet wel zo ongeveer alles van online shoppen. Van de markt, van de topondernemingen in e-commerce. Dus jij winkelt vast op een andere manier dan ik, dan het grote publiek?
'Door mijn vakinteresse let ik wel wat scherper op bepaalde zaken, maar door de toenemende bekendheid van het webwinkelen, van Thuiswinkel.org, haar keurmerk Thuiswinkel Waarborg en van de eisen die de wet en Thuiswinkel.org aan webshops stellen, letten volgens mij ook steeds meer consumenten op belangrijke details als zij online shoppen. Zelf kijk ik of een bedrijf al lid of aspirant-lid is van Thuiswinkel.org, omdat ik dan natuurlijk heel zeker weet dat het om een betrouwbaar bedrijf gaat. Verder kijk ik naar de algehele uitstraling van een webshop voordat ik er koop. Ziet het er goed uit, zie ik dat er zorg aan is besteed? Is het een bedrijf dat mijn persoonlijke voorkeuren opslaat, dat mijn vorige aankopen onthoudt en het mij zo makkelijker maakt om snel en efficiënt te bestellen? Staan er duidelijke adresgegevens en andere gegevens op de 'Over ons'-pagina? Als zulke dingen tiptop in orde zijn, dan koop ik er graag.'

Wat moet een webwinkelier doen om lid van Thuiswinkel.org te worden en het Thuiswinkel Waarborg-keurmerk te mogen voeren?
'We stellen relatief hoge eisen. Tenminste, het ligt eraan hoe je het bekijkt. Als jij het serieus aanpakt met de bedrijfsvoering van je webwinkel, dan zul je er geen moeite mee hebben. Een belangrijke voorwaarde is dat je ons je stukken, zoals een uittreksel van de Kamer van Koophandel en een financieel jaarverslag, bestaande uit een balans en een winst-en-verliesrekening,

ter inzage verstrekt. Ook zul je de standaard Algemene Voorwaarden die Thuiswinkel.org met de Consumentenbond heeft opgesteld, moeten overnemen op je site. En je dient je eraan te houden, uiteraard. Een extern accountantsbureau beoordeelt de financiële stukken en adviseert de toelatingscommissie. Een extern juridisch bureau doet hetzelfde voor alle juridische aangelegenheden. Op basis van alle gegevens die we van je webwinkel hebben, wordt beoordeeld of je lid kunt worden. Voor het Thuiswinkel Waarborg-keurmerk dien je je dus te certificeren, ieder jaar opnieuw. Startende webwinkeliers kunnen het aspirant-lidmaatschap aanvragen, hiervoor gelden andere toelatingseisen omdat zij bijvoorbeeld geen winst-en-verliesrekening kunnen presenteren.'

Dat is inderdaad wel streng allemaal.
'Ja, wij willen de branche in een goed daglicht zetten en houden. Consumentenvertrouwen is een groot goed voor de e-commerce. Dat moeten we niet verkwanselen. Thuiswinkel.org garandeert consumenten dat de leden van onze organisatie veilig online kunnen winkelen, dat zij een product 14 dagen op zicht mogen hebben. Ook is geregeld dat je als consument bij geschillen recht hebt op onafhankelijke bemiddeling. Samen met onze leden, die allemaal keurig voldoen aan onze gedragscodes en reglementen, hebben we ervoor gezorgd dat inmiddels 83 procent van de onlineshoppers het Thuiswinkel Waarborg-keurmerk herkent en dat zij dit associëren met betrouwbaarheid en veiligheid. Als webwinkel kun je je met het lidmaatschap en het keurmerk dus onderscheiden van anderen.'

Wat vind je zelf van de groeicijfers die jullie begin dit jaar hebben gepresenteerd?
'Je bedoelt dat de groei iets is teruggelopen? Ten eerste blijft het natuurlijk mooi, en echt een teken aan de wand, dat de e-tail nu al vijf jaar significant door blijft groeien, met dubbele cijfers, terwijl de traditionele retail krimpt. Ten tweede vind ik de cijfers een logische en te verwachten weergave van wat er zich in de markt afspeelt. Er komt na stormachtige groei met meer dan 20 procent per jaar nu langzaamaan een stabilisatie, omdat de markt richting volwassenheid gaat. We hebben voorspeld dat niet al-

leen de groei nu gestager zal gaan verlopen, maar dat er ook een natuurlijke selectie zal ontstaan. Ik bedoel daarmee dat er een flink aantal webwinkels failliet zal gaan of overgenomen zal worden. Of de eigenaren stoppen er gewoon mee. Dit zullen vooral de winkels zijn die geen schaalgroottes weten te realiseren om effectief te opereren. Kijk, er is wel een financiële crisis en dat merken de webwinkels aan de onderkant van de markt, doordat zij bijvoorbeeld moeilijker kredieten en financieringen kunnen krijgen. Dit klinkt natuurlijk niet zo leuk, maar het is wel heel goed. Hiermee wordt het kaf van het koren gescheiden.'

Internetgodinnen *is geschreven om lezers met plannen voor een webwinkel te laten zien dat het een heel kansrijke markt is. Dus heb je ook nog iets leuks te melden?*
'Zeker! Ik ben alleen maar positief over alle kansen die er de komende jaren zullen komen. Zo hebben we uitgezocht dat er veel mogelijkheden zijn op de Europese markt. Als je gaat webwinkelen, is het heel makkelijk om iets uit het buitenland te bestellen. Van de frequente shoppers doet een toenemend percentage dat al. Als je goed let op de voorwaarden voor *shipment* – of ze wel in jouw land leveren – en op de verzendkosten, dan kun je heel leuk winkelen in bijvoorbeeld een Deense webshop. De grote kans voor Nederlandse webwinkeliers is dus ook te gaan leveren in andere Europese landen. Dan is je afzetgebied direct veel groter. Duitsland bijvoorbeeld heeft bijna 83 miljoen inwoners, dus waarom zou je al je energie alleen op 16 miljoen Nederlanders richten? Thuiswinkel.org lobbyt voor heldere Europese wetgeving, want zodra er duidelijke afspraken op Europees niveau zijn vastgelegd, zal het consumentenvertrouwen in shoppen over de grens verder toenemen.'

En voor welke segmenten zie jij het rooskleurig in?
'Ik denk dat het zwaartepunt van de grote e-commerceomzet, dat al jaren bij reizen en andere diensten ligt, wat meer richting de handel in producten zal gaan verschuiven. Daar vinden nu al verreweg de meeste transacties plaats, maar het gaat nog vaak om kleinere bedragen. Dat er steeds meer vrouwelijke webwinkeliers komen, is een gevolg van het feit dat er

op het internet steeds meer vraag komt naar producten zoals kleding, verzorgingsartikelen, schoenen, accessoires, kookgerei en dergelijke. Maar alle onlinehandel in tastbare producten zal het nog wat beter gaan doen. Ook die in bloemen, gereedschappen, levensmiddelen, tuinartikelen en noem maar op, want nog steeds heeft niet elke Nederlander een internetaansluiting en daar gaan we nu wel naartoe. Die mensen gaan straks uiteindelijk ook voor allerlei dagelijkse benodigdheden het gemak van online shoppen inzien.'

Wat is jouw nummer 1-tip voor lezers die voor zichzelf willen beginnen met een webshop?
'Dat wordt mij natuurlijk vaker gevraagd en mijn antwoord is steevast: Ga Niet Aanklooien, want dan maak je brokken en daar zit niemand op te wachten. Natuurlijk kun je klein beginnen met een bescheiden winkeltje. Maar weet dat je je in een omgeving begeeft waar net als in de fysieke wereld wetten en regels gelden. Ook met een hobbywinkeltje dien je je te houden aan de Wet Koop op Afstand. Zo ben je bijvoorbeeld verplicht om een klant 7 werkdagen bedenktijd te geven. Die gaan in vanaf het moment dat de klant het product heeft ontvangen. Komt de klant er in die 7 werkdagen achter dat het product toch niet aan de verwachtingen voldoet, dan ben je verplicht het artikel om te ruilen of, als de klant dat wenst, hem of haar het geld terug te geven. Thuiswinkel.org lobbyt wel om de Wet Koop op Afstand onder de loep te nemen en deze aan te laten passen, omdat de wet uit 2001 dateert en dus niet meer van deze tijd is. Ondernemers zijn nu gehouden aan een sterk verouderde wet, wat hen helaas beperkt.'

INTERVIEW: Marieke Verdonk van *Twinkle*: 'Je succes als webwinkelier is maakbaar.'

Marieke Verdonk begon haar carrière succesvol als tekstschrijver bij communicatiebureaus, veelal gericht op ICT. Toch wilde ze wat anders. 'Door mijn werk leerde ik natuurlijk erg veel over de groeiende ICT-markt en haar deelmarkten, waaronder e-commerce, maar ik kon de opgedane kennis maar ten dele inzetten. Het nadeel aan werken voor een bureau is dat je vaak op meerdere projecten tegelijk wordt gezet, waardoor je weinig de diepte in kunt gaan. Ik had er behoefte aan me op één onderwerp te concentreren, een groot project met veel verschillende facetten, iets waar ik echt mijn tanden in kon zetten.' Toen uitgeverij BBP haar benaderde om hoofdredacteur van de nog op te richten vaktitel *Twinkle* te worden, hoefde Verdonk dan ook niet lang na te denken. 'Een blad en website maken over de e-commercebranche, een markt die alleen maar in omvang en diepte kan toenemen, daar zag ik wel kansen in.'

Uit de zolderkamer

Marieke steekt direct van wal met tips voor startende webwinkeliers. 'De sterke ondernemerszin die ik bespeur bij de internetentrepreneurs die ik interview, mensen die aan de top staan of op weg daarnaartoe zijn, treft me iedere keer weer. Daardoor weet ik zeker dat weliswaar iedereen een webwinkel kan starten, maar dat alleen zij die uit een bepaald soort hout zijn gesneden de ambitie en de potentie hebben om boven het zolderkamertjesniveau uit te stijgen. *Twinkle* maken we voor alle webwinkeliers, maar wel met als uitgangspunt dat onze lezers het beste uit hun webshop willen halen. Ik verdiep me daarom dagelijks in ondernemers die mij en onze lezers inspireren. Zij hebben stuk voor stuk 'drive', een talent, iets

Vakblad Twinkle

geniaals dat hen zo succesvol maakt. Tegen de lezers van dit boek zou ik dan ook willen zeggen dat het goed is om je – voordat je je webwinkel begint – af te vragen wat jouw persoonlijke drijfveren zijn. Wil je het er 'een beetje bij doen' omdat je het leuk vindt? Wil je extra inkomsten genereren? Of wil je een onderneming starten waarmee je fulltime aan de slag gaat en die uitbouwen tot een blijvend succes? Het fijne van het internet is dat het allemaal kan, maar het antwoord op deze vragen maakt wel het verschil tussen een nette hobbywinkel en een internetonderneming. Daarna kun je je afvragen wat jouw talent is en wat je nog moet leren. Het leuke van een toekomst als webwinkelier is dat je succes maakbaar is. Het is geen vage business. Er zijn inmiddels voorbeelden genoeg, er komen steeds meer informatiebronnen bij, zoals dit boek en ons blad, er zijn keurige wetten en regels, dus ook hier geldt dat hard werken loont.'

Onmetelijke groei

De hoofdredacteur interviewde voor haar vakblad in vijf jaar tijd meer dan zestig webwinkeleigenaren en andere internetondernemers. En volgens haar zullen dat er in het volgende lustrum alleen maar meer worden. 'De ontwikkelingen in de e-commerce zijn zo talrijk en gaan zo snel dat ons magazine niet gauw zonder goede verhalen en interviews zal zitten. Ik kan me werkelijk geen andere markt voorstellen die zoveel groeipotentie heeft als die voor online kopen en verkopen. Dat wordt bevestigd door onze oplagecijfers, we zijn in een tijd waarin het economisch niet zo lekker gaat een van de weinige vakbladen met een groeiende oplage.' *Twinkle* heeft ruim 9000 abonnees, die het blad elke maand ontvangen. De meesten van hen zijn webwinkelier of werkzaam voor een internetonderneming. 'Naast het blad zijn we uiteraard ook online actief. Verder zijn we bij belangrijke evenementen aanwezig en organiseren we zelf ook congressen en seminars.' Het is duidelijk, Marieke is erg in haar nopjes. Met haar baan, maar ook met het vakgebied waarin ze opereert. 'Ik kom in mijn werk hele leuke, interessante types van zeer diverse pluimage tegen. En ik richt mij tot de dames: het wordt zoetjesaan wel tijd dat u uw plek in de e-tail inneemt. Wie heeft er nu meer verstand van en meer affiniteit met trends als *social shopping* dan u?'

'Wees in vredesnaam origineel'

Dat het aantal vrouwelijke webshoppers anno 2011 flink groter is dan de mannelijke groep onlinekopers, is natuurlijk ook Marieke niet ontgaan. Daarom vindt zij het vreemd dat de markt, die voor een heel groot deel op kooplustige vrouwen drijft, nog voornamelijk wordt geregeerd door mannen. 'Ik ben blij dat dit boek er komt! Ik zie uit naar de verhalen van de vrouwelijke e-commercetoppers. Van de zestig internetondernemers die ik heb geïnterviewd, waren er maar een handjevol vrouw en ik werk dan ook graag mee aan het inspireren en stimuleren van nieuw vrouwelijk talent.' Eén ding moet haar echter wel van het hart. 'Ga alsjeblieft niet klakkeloos een webwinkel in modeartikelen beginnen omdat je denkt dat je hierop aangewezen bent als vrouw. Er is niks mis met een tassen- of sieradenwebwinkel, maar ik vind dat je moet nadenken over wat je gaat verkopen. Het liefst iets origineels. Pak een niche. Een origineel assortiment creëer je bijvoorbeeld met unieke producten, een eigen merk, een selectie van lastig verkrijgbare merken, bijzondere thema's enzovoorts. Je kunt beter vrij precies mikken dan met hagel schieten.' Op de opmerking dat veel van de succesvolle vrouwen in dit boek actief zijn in de mode, antwoordt Marieke: 'Ja, maar die webwinkels hebben ook allemaal de originaliteit, dat unieke waar ik het over heb. Claudia Willemse van Kleertjes.com is voor mij de absolute topper met haar assortiment van tientallen verschillende A-merken voor kinderkleding. LaDress veroverde haar plek met één jurkje waarvan ze een fenomeen wist te maken. Het modesegment leent zich uitstekend voor creativiteit en originele webshops.'

Warenkennis

Kan Marieke zelf voorbeelden noemen van webwinkelsuccessen die ontstaan zijn door de keuze voor een product of een bepaald assortiment? 'Absoluut! Er zijn twee succesverhalen die me altijd bij zullen blijven. Een Nederlands voorbeeld is Coolblue.nl, groot geworden door niches in de elektronicamarkt te bedienen. Pieter Zwart, de oprichter, heeft sinds 1999 de ene na de andere gespecialiseerde webshop geopend, zoals Digicamshop.nl, Telefoonshop.nl en Laptopshop.nl. Bij al deze webwinkels wordt de content, onder andere de productomschrijvingen en productspecifi-

FREITAG

HOME | ONLINE SHOP | F-CUT | STOREFINDER | NEWS | ABOUT FREITAG | PRESS

Geschiedenis
Concept
Productie
Zeildoeken
B2B
Vacatures
Veelgestelde vragen

DE GESCHIEDENIS VAN DE UNIEKE FREITAG TAS

In 1993 waren de grafische ontwerpers en broers Markus en Daniel Freitag op zoek naar een messengertas. De echte Züricher fietst namelijk naar zijn bestemming en moet daarbij menig regenbui trotseren. De gebroeders FREITAG zochten voor hun ontwerpen een sterke, functionele en waterafstotende tas. Ze lieten zich inspireren door de zware vrachtwagens, die direct voor hun woning over de snelweg raasden en hebben zelf een koerierstas gemaakt van een oud vrachtwagenzeil. Voor de draagriem gebruikten ze veiligheidsgordels en voor de randen een oude binnenband van een fiets.

Zo ontstond uit eigen behoefte en geheel onbedoeld een onderneming, waar vandaag de dag meer dan 80 mensen werken. Naast de originele messengertas hebben de gebroeders FREITAG meer dan 40 verschillende dames- en herentassen ontwikkeld en op de markt gebracht. De FREITAG producten worden verkocht in meer dan 300 winkels, in onze online webshop en onze eigen winkels in Berlijn, Davos, Hamburg, Keulen en Zürich. Ze worden echter nog steeds in Zwitserland geproduceerd, net naast de snelweg, waardoor de ondernemers in 1993 werden geïnspireerd.

Oude gewoontes slijten kennelijk niet eenvoudig.

De Zwitserse broers Markus en Daniel Freitag zijn internationaal succesvol met hun merkshop.

caties, zelf gemaakt in plaats van aangeleverd door fabrikanten. Als koper ben je er dus zeker van dat je te maken hebt met verkopers die verstand van hun waren hebben. Een buitenlands voorbeeld waar ik niet over uitgepraat raak is Freitag.ch uit Zwitserland. De oprichters van deze 'mono brand'-webwinkel zijn in de eerste plaats verschrikkelijk succesvol met hun concept, dat in 1993 heel vernieuwend was en vandaag de dag nog altijd als hip wordt gezien: tassen en andere accessoires die worden gemaakt van gebruikt vrachtwagenzeil, binnenband en autogordels. Ze hebben naast een topmerk een briljante website waarop alles klopt en waar de klant een ontzettend sympathiek verhaal leest. Ik vond het zelf zo leuk dat ik er iets heb besteld. Ik werd met vlot geschreven persoonlijke berichtjes op de hoogte gehouden van de status van mijn bestelling: 'Hé Marieke uit het mooie Amsterdam, we hebben jouw bestelling vandaag naar je verstuurd en er met z'n allen een borrel op gedronken.' Zulke mailtjes versterken de manier waarop ik het merk beleef. Als je plannen voor een eigen webwinkel hebt, moet je echt even op www.freitag.ch kijken.'

Webwinkels voor diensten

Omdat Marieke net als de andere experts in dit boek veel kennis van de markt en een eigen visie hierop heeft, vraag ik het haar ook: welke sectoren gaan groeien en zijn de moeite van het nader bekijken waard? 'Ik verwacht in alle segmenten wel groei. Als de digitale handtekening er straks goed doorheen komt, denk ik dat er een explosieve toename van het aantal goede webshops voor diensten zal ontstaan, met name voor financiële diensten. Daar werkt de traditionele markt ook aan mee, probeer jij nog maar eens een medewerker persoonlijk, dus face to face, te spreken te krijgen. Verder verwacht ik groei in de handel in bekende topsegmenten als mobiele telefonie. Ook de markt voor kleding en accessoires kan nog flink groeien doordat de kwaliteit en service van dit soort webshops steeds beter worden.'

INTERVIEW: Monique Collignon: internetpionier onder de couturiers

Als in haar chique atelier de telefoon gaat, neemt ze, ondanks de aanwezigheid van verschillende medewerkers, zelf de telefoon op. 'Goedemorgen, u spreekt met Monique Collignon Couture,' zegt ze vriendelijk. 'En om welke opleiding gaat het? Welk jaar?' Monique heeft me net verteld dat studenten van modevakopleidingen zich soms met tientallen tegelijk bij haar bedrijf melden. Nu belt er opnieuw een jong meisje. 'En waarom ben je dan zo laat met het regelen van een stageplek? Nou, weet je wat? Stuur maar een mailtje met je gegevens en je motivatie.' Als ze ophangt, legt ze me uit: 'Als ik ze zelf aan de lijn krijg, kan ik gelijk al aanvoelen of het wat wordt of niet. Ze weten niet dat ik het ben, haha.'

Shop.moniquecollignon.com

Monique Collignon is couturier, een van de Nederlandse Grote Vijf. Haar naam wordt in één adem genoemd met die van Frans Molenaar, Mart Visser, Paul Schulten en Sheila de Vries. Als ik haar vraag hoe zij in het kleine kringetje van Nederlandse topmodeontwerpers terecht is gekomen, antwoordt ze bescheiden: 'Ik ben pas twaalf jaar bezig, het is aardig dat je dat zegt, maar ik zie mezelf niet als iemand die het hoogst haalbare al heeft bereikt.' Doordat Monique een benaderbare, hardwerkende, ambitieuze vrouw is, past ze prima tussen de andere dames die ik voor *Internetgodinnen* heb geïnterviewd. En omdat Monique sinds april 2010 haar prêt-à-portercollectie aanbiedt in haar eigen webshop Shop.moniquecollignon.com, heb ik hemel en aarde bewogen om haar te kunnen vragen naar haar nieuwe status als webwinkelier, naar haar eigen internetgedrag en natuurlijk naar haar plannen voor het komende jaar. Monique is de eerste Nederlandse couturier 'van de oude garde', een sector waarin traditie juist een enorme rol speelt, die zich waagt aan een webshop! Als Monique haar show tijdens de Amsterdam International Fashion Week én het huwelijk van topmodel Kim Feenstra achter de rug heeft, lukt het ons om een afspraak te maken voor dit interview.

Bereikbaar voor iedereen

'Ik vind het leuk om mee te werken aan een boek over ondernemende vrouwen in de internetbusiness. Het is echt iets van deze tijd en ook als couturier moet je daarin meegaan. Ik zie zelf veel potentie in mijn webshop omdat het een uitstekend verkooppunt is voor mijn prêt-à-portercollectie, die natuurlijk een stuk betaalbaarder is dan mijn couturestukken. Prêt-à-porter, of *ready to wear*, moet je zien als confectie van het allerhoogste segment. Het is exclusief, maar toch bereikbaar voor veel vrouwen. En hoe kan ik bereikbaarder zijn dan nu met die webshop? Sinds de opening merkten we al direct dat we klanten uit heel Nederland aantrekken. De webwinkel is een goede aanvulling op de vijftien fysieke winkels die Monique Collignon-prêt-à-porter verkopen.'

'Met mijn webshop spreid ik zakelijke kansen en risico's'

'Je bent de eerste Nederlandse couturier die dit aandurft,' zeg ik. En ik vraag hoe ze het voor elkaar kreeg om naast al haar werkzaamheden ook nog webwinkelier te worden. Monique geeft coutureshows, staat coutureklanten persoonlijk te woord in haar salon, ontwerpt naast de couturecollectie twee keer per jaar een prêt-à-portercollectie en bemoeit zich met de productie en distributie hiervan; heeft ze niet genoeg aan haar hoofd? 'Tja, ik vind het gewoon leuk om bezig te blijven. En zoals ik al zei, het is zakelijk gezien ook een goede zet. Was ik vroeger alleen maar bezig met ontwerpen, Monique Collignon is ondertussen een heel bedrijf geworden. Dat vraagt van mij dat ik steeds meer een zakenvrouw moet worden. We werken met een heel team aan het succes van dit bedrijf, en die mensen – allemaal toppers – wil ik graag aan het werk houden. Daarom spreiden we onze activiteiten, want op hoe meer gebieden je succesvol bent, hoe meer je ook de risico's van het ondernemen spreidt. De webwinkel is een van die uitbreidingen waarin ik veel kansen zie,' aldus Monique.

Een internationaal merk

'Het idee ervoor ontstond toen twee van mijn vriendinnen hun webwinkel Designervintage.com startten. Jan Henny (Moniques man, red.) stortte zich als marketingexpert op het hoe en wat van de webwinkel en we lieten deze door een bedrijf voor ons op maat bouwen. Natuurlijk heb ik me er ook mee bemoeid. Ik ben geen nerd, ik zal niet doen alsof ik heel veel van het internet af weet, maar ik vind het zelf bijvoorbeeld heel leuk om in webshops te kijken om inspiratie op te doen. We zijn trots op het resultaat. We kregen veel aandacht voor de opening van onze webshop en de bestellingen kwamen direct op gang. En, ik moet het even afkloppen, ik heb nog geen retourzending gezien!' Monique heeft grote plannen, waar haar webwinkel ook een rol in speelt. 'We zijn bezig om mijn prêt-à-porterlijn uit te rollen als een merk. Voorzichtig en met kleine stapjes, maar wel nationaal én internationaal. Ik wil me niet beperken tot Nederland, omdat altijd al duidelijk is geweest dat men in andere Europese landen meer met mode bezig is en er daar ook meer geld aan mode wordt uitgegeven. We hebben landen als België, Duitsland en Denemarken op het oog en her en der hebben we al wat afspraken en wat verkenningsreizen in de agenda staan. De webshop staat nu nog in de kinderschoenen – de collectie in de webwinkel vul ik bijvoorbeeld mondjesmaat aan om mijn *resellers* in het fysieke kanaal eraan te laten wennen en ze te laten zien dat het een het ander niet hoeft te bijten – maar het onlinekanaal zal natuurlijk wel een rol gaan spelen bij de internationale verkoop. Klanten van over de hele wereld moeten bij ons kunnen bestellen. Ik geloof in de combinatie van fysiek en online. Zo wil ik bijvoorbeeld het liefst in 2012 ook fysieke verkooppunten in Duitsland hebben. Maar we gaan eerst met een uitgebreidere versie van de webshop kijken of er in het buitenland wel een markt voor Monique Collignon is; in deze tijd kun je niet zomaar met geld gaan smijten zonder enige garantie op succes te hebben.'

'Ik leer elke dag beter te ondernemen'

In ons gesprek bekent Monique meerdere malen openhartig dat ze zichzelf geen zakelijk wonder vindt maar een goede ontwerpster die steeds meer de fijne kneepjes van het ondernemen in de vingers krijgt. Ik zeg dat veel van de vrouwen die ik voor dit boek heb geïnterviewd op deze manier werken en dat juist telkens blijkt dat veel van hen, net als Monique, hun succes uit hun passie en hun talenten halen, niet uit een prestigieus Nyenrode-diploma. Aangemoedigd vertelt ze verder over haar ambities: 'In de webshop wil ik in ieder geval nog een pagina met feestjurkjes, je weet wel, met goede aanbiedingen voor de feestdagen. En eentje met hele goede basics, zoals een perfect gesneden colbert, een *little black dress* en bonnetterie. Zodat ook de vrouw die op dit moment nog nooit van Monique Collignon heeft gehoord, straks leuk kan slagen met een outfit van mijn hand en toch geen enorme aanslag op haar budget hoeft te plegen.'

Stap 2

Jouw gat in de e-markt vinden

Als je dit exemplaar van *Internetgodinnen* hebt gekocht of gekregen omdat je met plannen voor een eigen webwinkel rondloopt, dan heb je vast ook al een idee over het soort producten dat je wilt aanbieden. Vaak zijn dat producten waar je 'iets mee hebt', of waar je gewoon veel van af weet, of waar je relatief makkelijk aan kunt komen. Een goed begin, dus houd die gedachte vast!

In dit hoofdstuk behandelen we hoe je voor je webshop een gat in de e-markt kunt vinden. En hoe je dat doet met de juiste keuze voor een assortiment in een unieke combinatie met een concept. Aan de hand van enkele simpele feiten en logische inzichten kun je al snel bepalen of jouw ideeën over producten en een concept aansluiten bij de basiscriteria voor succesvolle onlineverkoopresultaten, of dat je plannen nog wat bijgeschaafd moeten worden.

Ik liet het al eerder doorschemeren: met alleen goede productkeuzes en een gevarieerd assortiment kom je er niet. De succesvolste webwinkels van Nederland combineren een uniek aanbod van producten met een even zo uniek concept. Dat hoeft niet heel ingewikkeld te zijn, als je er maar de eerste mee bent en het voor je doelgroep werkt. Simone van Trojen, eigenares van het merk LaDress en de gelijknamige webshop LaDress.com, biedt je in dit hoofdstuk een exclusief kijkje achter de schermen van haar bekende webwinkel. Simone koos ervoor om één product in eindeloos veel variaties te gaan aanbieden. Die beslissing nam ze puur op basis van haar gevoel en haar intuïtie. Om jou ook zo dicht bij je gevoel te brengen, dat gevoel te vertalen in een idee en vervolgens in concrete actie, gaan we brainstormen. Met elkaar en met een aantal dames die hun webwinkel al hebben gelanceerd.

Als je je een beeld hebt gevormd van welke producten jij in het assortiment van jouw webwinkel wilt gaan verkopen en volgens welk concept je dat wilt gaan doen, wordt het tijd voor actie: uitzoeken hoe je aan je handelswaar komt. Waar ga je inkopen en waar moet je dan op letten? Welke verkoopprijs ga je vragen? En ga je een voorraad aanhouden of niet? Waar sla je de spullen dan op? Allemaal vragen waar je in de loop van dit hoofdstuk zelf het antwoord op zult vinden. We lopen er stap voor stap doorheen.

Brainstormen & marktonderzoek doen

Aan ieder briljant idee ligt een bepaald gevoel ten grondslag. En een bepaalde ervaring, waardoor de bedenker van het idee dat gevoel kreeg. Het kan helemaal vanzelf gaan. Je kent het vast wel. Je bent ergens mee bezig, je ziet, hoort, voelt en ruikt en ineens begint er iets te borrelen. In gedachten maak je koppelingen tussen het een en het ander en *het* ontstaat. Een idee. Er zijn mensen die aan de lopende band ideeën hebben. Het ene idee zal succesvoller zijn dan het andere, maar deze mensen zijn in staat om continu nieuwe dingen te bedenken. Ben je niet zo iemand? Tot op zekere hoogte kun je het bedenken van ideeën, het creëren van een vrije gedachtestroom en het in gedachten koppelen van bepaalde zaken aanleren en trainen. Door te brainstormen bijvoorbeeld, kun je kijken welke ervaringen jij hebt, welk gevoel je daarbij krijgt en of daar misschien een idee voor jouw webshop in zit. Door vrijelijk na te denken over de nu volgende vragen, en door de antwoorden uit te schrijven, ga je denken als een ondernemer. Laat je nergens door beperken, op dit moment is nog even niets te gek. Droom hardop. Schrijf je antwoorden op een blaadje of typ een e-mail aan jezelf.

1 Welke producten koop jij graag en vind je de moeite waard om voor te winkelen? Stel een top 5 (of meer) samen, met het belangrijkste product op nummer 1.

2 Welke producten uit bovenstaand rijtje koop je online of zou je graag online willen kopen en waarom? Stel weer een top zoveel samen en schrijf achter elk product waarom jij juist dat product zo graag online koopt of online zou willen kopen.
3 Van welke producten uit het tweede rijtje vind jij dat ze online niet of moeilijk vindbaar zijn, onvoldoende worden aangeboden, op de verkeerde manier worden aangeboden, of dat er te weinig keuze in is et cetera? Wat moet er volgens jou gebeuren om dit te verbeteren?
4 Heb je een hobby waarmee je geld zou kunnen verdienen? Bijvoorbeeld met zelfgemaakte artikelen zoals schilderijen, keramiek en andere kunst, wenskaarten, woonaccessoires, meubels, sieraden, beautyproducten, kleding et cetera?
5 Probeer ook aan wat niet-tastbare items te denken, bijvoorbeeld aan digitale producten als vertalingen van boeken, songteksten, gedichten, software, horoscopen et cetera.
6 Is er iets waar je heel veel van af weet? Zodat je bijvoorbeeld een unieke combinatie kunt maken tussen jouw kennis en bepaalde producten? Stel, je weet veel van alternatieve geneeswijzen, dan zou je kruiden kunnen verkopen, in combinatie met jouw adviezen op dit gebied.

Heb je alle vragen beantwoord? Dan kun je nu voorlopig je A4'tje wegleggen of je computer afsluiten. Je onderbewustzijn gaat ongemerkt aan de slag met hetgeen je allemaal hebt bedacht en op een later tijdstip haal je je aantekeningen weer tevoorschijn. We gaan nu eerst kijken naar de hersenspinsels van enkele e-commercetoppers die ik voor dit boek sprak. Stuk voor stuk krabbelden zij hun antwoorden op de zes brainstormvragen in mijn notitieboek, zodat jij kunt zien hoe deze webwinkeliers op het idee voor hun internetsucces zijn gekomen. Immers, goed voorbeeld doet goed volgen! Daarna voorzie ik je van feitelijke informatie, ijkpunten waar je jouw bedenksels naast kunt leggen om ze te verfijnen tot je weet wat je wilt en hoe dat gaat werken in de wereld van online kopen en verkopen.

1 Welke producten koop jij graag en vind je de moeite waard om voor te winkelen?

'Net als iedere jonge vrouw koop ik graag kleding en schoenen. Als ik hiervoor ga winkelen, probeer ik altijd iets origineels van hoge kwaliteit te scoren. Maar wel tegen een heel fijn prijsje. Dat blijkt vaak een uitdaging.'

– Lara de Graaf, eigenares www.ydence.nl

2 Welke producten koop je online of zou je graag online willen kopen en waarom?

'Ik ben een ontzettende beautyfreak en ik wil altijd aparte, nieuwe producten uitproberen, het liefst op natuurlijke basis. Daarvoor struin ik rustig het hele www af.'

– Serena Verbon, eigenares Beautylab.nl

3 Van welke producten vind jij dat ze online niet of moeilijk vindbaar zijn, onvoldoende worden aangeboden, op de verkeerde manier aangeboden, of dat er te weinig keuze in is et cetera?

'Anno nu zijn er nog steeds modemerken die niet of amper online worden verkocht. Chanel bijvoorbeeld. Ik zou wel de eerste Nederlandse webwinkelier willen zijn die dat merk verkoopt.'

– Fleur Kriegsman, eigenares Hipvoordeheb.nl

'Voor mijn drie kinderen koop ik graag merkkleding online. Wat ik raar vind, is dat er voor kleine meisjes weinig tot geen designermerken zijn op het gebied van ondergoed, bad- en nachtkleding. Online is dat helemaal onvindbaar. Daarom heb ik zelf een merk ontwikkeld en een webwinkel gestart waar ik het verkoop.'

– Bianca de Winter, eigenares www.partyatseven.com

4 Heb je een hobby waarmee je geld zou kunnen verdienen?

'Toen ik begin twintig was, begon ik met het ontwerpen en het maken van sieraden. Ik zocht de mooiste materialen voor mijn armbanden, kettingen en oorbellen uit. Steeds meer vrouwen wilden bij me kopen. Dat resulteerde in mijn eigen bedrijf.'

– Dorien Berkhout, eigenares www.dooor.nl

'Mijn moeder en ik maakten zelf zeep en crèmes. Door mijn webshop is daar echt een run op ontstaan.'

– Serena Verbon, eigenares Beautylab.nl

5 Is er iets waar je heel veel van af weet?

'Het is mijn wens om elk vrouwenfiguur op z'n mooist te laten uitkomen, om vrouwen te helpen er in elke situatie en bij elke gelegenheid goed uit te zien. Daar ben ik elke dag mee bezig, elk jurkje dat ik ontwikkel krijgt die eigenschappen mee. In de webshop krijgen klanten advies, service en bijvoorbeeld combineersuggesties. Doordat wij kennis van deze zaken hebben, komen de klanten terug.'

– Simone van Trojen, eigenares LaDress.com

Het lampje brandt...

Met jouw gezonde verstand kun je de brainstormantwoorden van de internetgodinnen als een transparante film over het concept van hun webwinkels leggen. Doordat je zelf het vragenlijstje hebt ingevuld, weet je bij welke producten jouw hart echt ligt. Ook heb je een mening gevormd over het huidige (online)aanbod ervan. En het is zeer goed mogelijk dat je al zint op een concept voor de manier waarop jij de producten zou willen aanbieden in je eigen webwinkel. Door te brainstormen heb je nu een idee dat aardig vorm begint aan te nemen in je hoofd. En dat idee is de eerste en belangrijkste benodigdheid voor een plan.

Er is een verschil tussen wat je op dit moment weet en wat er daadwerkelijk gaande is in de markt op het moment dat jij de digitale deuren van je webwinkel voor het eerst opent. Daarom doe je, niet te uitgebreid maar wel aandachtig, marktonderzoek. Stel dat uit vraag 1, 2 en 3 van onze brainstorm is gekomen dat jouw branche die van de mode wordt. En dat jij je gaat storten op de onlineverkoop van kleding, schoenen en tassen. Dat je niet de eerste bent die dat doet, weet je. Er zijn vele webwinkels die deze producten aanbieden. Kijk eens rond bij de onlineshops die het volgens jou goed voor elkaar hebben. Welke producten bieden zij? Van welke merken? Hoeveel variaties van een product? Hoe is het assortiment ingedeeld? Zet alles wat je opvalt op je brainstormblaadje. Zie je bijvoorbeeld vaak een bepaald merk terugkomen, of een specifieke tas, dan betekent dit dat het om goed verkopende spullen gaat. Zie je ergens veel van een merk op de uitverkooppagina staan, terwijl andere merken wel voor het volle pond worden verkocht, dan loopt dat merk dus niet. Ook producten die gedurende een lange periode op de uitverkooppagina staan en telkens weer in prijs worden verlaagd, zijn waarschijnlijk geen verkooptoppers. Houd ook de bladen die jouw toekomstige klanten lezen, en sites die ze veel bezoeken, in de gaten. Welke trends zijn er nu? Waar is dus vraag naar? En waar zal in de nabije toekomst veel vraag naar zijn? En dan zijn er de jaargetijden, nationale feestdagen en andere (maatschappelijke) factoren die de consumentenvraag beïnvloeden. In de herfst zal er meer vraag naar leren handschoenen zijn dan in de zomer. Voor Koninginnedag willen mensen oranje spullen, de rest van het jaar is die kleur vaak geen hoogvlieger in modeland, tenzij deze kleur door modegoeroes is uitgeroepen tot *must have*- kleur van het seizoen. Rond sinterklaas en kerst gaat iedereen voor 'feestelijk', dus kun je flink scoren met glitters, linten en andere franje op kleding en accessoires. En met de LBD, de little black dress. Het kleine zwarte jurkje is het hele jaar door een klassieke verkooptopper, maar rond de feestdagen een item dat simpelweg niet mag ontbreken in iedere zichzelf respecterende modewebwinkel.

Door marktonderzoek te doen weet je grofweg waar goede kansen liggen voor je webshop. Maar ja, concurrenten doen ook onderzoek en zien dezelfde kansen. Het is dus zaak dat je eruitspringt met jouw webwinkel. Alle informatie uit dit hoofdstuk is toepasbaar op alle productgroepen die je maar hebt kunnen bedenken bij brainstormvragen 1 t/m 3, maar in de nu volgende alinea's houd ik voor het gemak het voorbeeld van de modebranche aan bij het geven van tips op het gebied van opvallen met je productkeuze en je concept.

Regel nummer 1 is er een waarvan je heel goed doordrongen moet zijn: Kopieer Nooit. Toch zijn er helaas ontzettend veel beginnende webwinkeliers die mee willen liften op het succes van andere webshops en dat hopen te bereiken door onder andere een sterk gelijkende naam te kiezen, productfoto's en -specificaties te kopiëren en zelfs teksten letterlijk over te nemen. Wie dat doet, beperkt haar kansen op succes echter juist enorm. Ten eerste kun je er juridische problemen mee krijgen, maar bovenal komt het natuurlijk zeer matig over als je zelf niet in staat bent iets goeds te bedenken. Die bekende webshop waarvan je hebt gekopieerd, is bij jouw bezoekers ook bekend en ze zullen direct zien dat jouw webwinkel er wel erg op lijkt. In zo'n geval verlies je de strijd om de koper, want die kopen eerder bij de bekende onlineshop die bewezen succesvol en in de ogen van de consument dus betrouwbaar is. Fleur Kriegsman, die ik voor *Internetgodinnen* interviewde en over wie je in hoofdstuk 5 meer leest, kreeg in 2008 te maken met een copycat. 'Een heel vreemde ervaring. Tijdens de tweede publiciteitspiek rond Hipvoordeheb.nl werd ik geattendeerd op een webshop die bijna dezelfde naam had als mijn webwinkel. Toen ik er even een kijkje nam, wist ik niet wat ik zag! Niet alleen verkocht de dame in kwestie veel precies dezelfde spullen als ik, ze had ook al mijn teksten gekopieerd. Letterlijk, want ik kwam op haar site een spelfout tegen die ik zelf had gemaakt en die ik was vergeten te corrigeren. Nu vind ik dit soort dingen niet meer zo'n ramp, maar ik was toen net zeventien geworden en ik werd echt razend. Urenlang had ik bloedig zitten typen op de teksten voor in mijn webwinkel, komt er een of andere parasiet die van mijn werk wil profiteren! Een vriend van me is advocaat en tevens ondernemer. Hij was bereid om me te helpen en legde uit dat ik me onder andere kon beroepen op het auteursrecht dat op de teksten rust. Hij schreef een pittige brief waarin we de eigenares op allerlei juridische gronden sommeerden haar activiteiten te staken, en waarin we aankondigden de zaak anders aanhangig te maken. Twee dagen later was de site offline. Tot op de dag van vandaag. De domeinnaam bestaat nog wel, het betrof een gratis webwinkel van Mijnwebwinkel.nl, waar Hipvoordeheb.nl toen ook nog draaide. Maar ik heb geen last van die naam en Mijnwebwinkel.nl valt natuurlijk niets aan te rekenen. Zij zijn niet verantwoordelijk voor de activiteiten van hun gebruikers.'

Een uniek assortiment en concept

Dé truc voor het creëren van een basis voor succes is: hele kleine beetjes van je webshop te baseren op de sterke punten van andere webshops (je hoeft je niet roomser dan de paus te tonen) en op de belangrijkste punten verschillend zijn. Je wilt je concurrente(n) immers altijd een stap voor zijn.

Hoe doe je dat met je productkeuze, je assortiment? Door bijvoorbeeld veel merken te verkopen die zij ook verkoopt, vooral de bestsellers, maar dan net een wat ruimer assortiment te voeren. Verkoopt zij van een bepaald merk drie jurkjes? Die topmodellen verkoop jij ook, plus de extra kleurvarianten die zij niet aanbiedt en twee minder bekende en misschien iets goedkopere jurkjes van dat merk. En je voert nog een paar hippe merken die zij niet verkoopt.

Over merken moet ik het volgende opmerken: die zijn héél belangrijk voor webwinkels, want merken trekken bezoek. Consumenten kopen graag spullen van bekende merken, omdat die merken een bepaalde kwaliteit waarborgen en vertrouwen inboezemen. Daarnaast vinden mensen het gewoon cool om iets van een topmerk te dragen. Op Google wordt er erg veel gezocht op merknamen in combinatie met producten, bijvoorbeeld op 'Fab, tas' of op 'Ray-Ban, aviator'. Die googelende merkliefhebbers zijn zeer aantrekkelijke potentiële klanten voor je. Immers, zij zijn op zoek naar het merkproduct omdat ze er meer van willen weten en een (sluimerende) koopintentie hebben.

Je kunt je ook onderscheiden met de kwaliteit en de bijbehorende prijs van de producten in je assortiment. Zie je bij succesvolle webwinkels dat zij trendy, mooie maar heel dure spullen aanbieden? Jij kunt ook een paar van die prijzige artikelen inkopen, en daarnaast variatie aanbrengen in je assortiment door op jacht te gaan naar producten die erg op de duurdere exemplaren lijken maar van iets mindere (wel acceptabele!) kwaliteit zijn en daardoor wat goedkoper. Op die manier bedien je zowel de bezoekers met een goed gevulde portemonnee als die met een bescheiden beursje. Ga niet alleen maar goedkope B-merkartikelen aanbieden, je webwinkel komt stukken betrouwbaarder over als je ook enkele A-merken voert.

De antwoorden die je op de brainstormvragen hebt gegeven, hebben je mogelijk ook op het spoor van een concept voor je webwinkel gebracht; ideeën voor de manier waarop je producten wilt aanbieden. Je hebt nu onderzocht hoe andere webshops dat doen en wat je er goed en minder goed aan vindt. Tijd om een uniek concept voor jezelf te bedenken!

Zoals met alles, werkt het het best als je iets kiest wat je na aan het hart ligt. Een voorbeeld. Heb je voor modeproducten gekozen en ben je een enorme francofiel? Je zou ervoor kunnen kiezen om alleen Franse modemerken te verkopen. De jurkjes, tassen en andere artikelen kun je indelen in collecties die je de namen van grote Franse steden geeft. Je kunt chansons gebruiken als sfeerverhogende achtergrondmuziek voor tijdens het webshoppen (die bezoekers makkelijk aan en uit kunnen zetten!). Beroemde uitspraken van Franse filmsterren en andere Franse bekendheden in de lay-out van je website plaatsen. Met dit voorbeeldconcept zou je webwinkel in ieder geval anders zijn dan de duizenden webshops die gewoon een grote vergaarbak met producten online zetten, zonder enige vorm van strategie. Het grote voordeel van een dergelijk concept is dat je er een specifieke doelgroep mee aanspreekt. In het geval van het voorbeeld: mensen die van Franse modemerken houden (hier wordt op gegoogeld!). Ook bezoekers die om een andere reden bij jouw webwinkel uitkomen, zullen het waarderen dat je één lijn hebt uitgestippeld en die consequent doorvoert. Het maakt je herkenbaar en dat vinden consumenten prettig. Als internetshoppers constateren dat er over een webwinkel is nagedacht, verhoogt dat hun vertrouwen. Conclusie: met een goedgekozen concept bereik en bedien je een kleiner specifiek publiek en een groter algemeen publiek.

Je zult onwillekeurig ook internetshoppers bereiken die niets met je assortiment, noch met je concept hebben. Hen kun je niet naar tevredenheid bedienen, omdat zij simpelweg niet naar jouw productaanbod op zoek zijn, maar dat moet je ook niet willen. Zou je de eigenares van een fysieke winkel zijn, dan zou je je energie ook niet richten op bezoekers die je winkel stom vinden. Van de drie publieksgroepen die je bereikt – de specifiek geïnteresseerde webwinkelaars, de toevallige, aangenaam verraste passanten en de ongeïnteresseerden – bevat de eerste groep de meeste potentiële kopers voor jouw webwinkel. Zij hebben immers affiniteit met de producten in je assortiment en zijn ernaar op zoek. Deze doelgroep zal ook vaker herhalingsbezoeken aan je webwinkel brengen en vaker een aankoop doen. Daarnaast zullen deze bezoekers zich ook eerder inschrijven voor je nieuwsbrief. Om deze belangrijke groep klanten optimaal te bedienen is het essentieel om je assortiment regelmatig te vernieuwen en om met enige regelmaat 'iets nieuws' aan de features van je website toe te voegen. Hier komen we op terug in hoofdstuk 6.

Andere voorbeelden van webwinkels met een uniek concept zijn:
www.viltendesign.nl
www.cupoftwo.nl
www.tulpfietsen.nl

Inkopen!

Om handel te kunnen drijven met je webwinkel heb je natuurlijk producten nodig die je verkrijgt door ze in te kopen. Dat doe je bij leveranciers. We onderscheiden twee soorten leveranciers. De ene levert je de producten voor in je assortiment en de andere levert je diensten en spullen om je bedrijf te laten draaien, zoals een domeinnaam, een hostingpakket, software, visitekaartjes en verpakkingsmateriaal. Het inkopen bij deze leveranciers bespreken we in hoofdstuk 4. Het inkopen van je assortiment is nu eerst aan de beurt.

Nu je weet wat je wilt verkopen en op welke manier je dat wilt doen, kun je gaan kijken waar je allemaal kunt inkopen. Er zijn zoveel verschillende mogelijkheden dat dit onderwerp een boek op zich zou kunnen zijn, maar met de onderstaande, globale uiteenzetting van de mogelijkheden kun je als beginnende webwinkelier aardig uit de voeten en kun je een begin maken met je eerste inkooporiëntatie.

Materialen

Ga je zelfgemaakte artikelen verkopen? Dan zul je materialen moeten inkopen. Bij groothandels kun je terecht voor alle denkbare materialen zoals kralen, stoffen, patronen, hout, plastic, bestanddelen voor cosmetica, kruiden et cetera. Google op het benodigde materiaal en op 'groothandel' of 'beurs' en je vindt honderden resultaten.

Producenten

Wil je een eigen merk beginnen en de producten voor je laten maken? Dan ben je op zoek naar een producent (Google op 'manufacturer'). Die kun je zowel binnen Nederland als over de grens vinden. Dat laatste is zelfs zeer waarschijnlijk en voor veel merkhouders een interessante optie. In bepaalde landen zijn de arbeidslonen nu eenmaal lager dan in Nederland en daarom zijn er in deze landen veel fabrieken te vinden waar gigantische aantallen producten worden gemaakt. In landen als China, India en Indonesië kun je goedkoop inkopen, wat je maar wilt verkopen onder je eigen merknaam, je kunt het daar laten maken en de producten worden per internationaal transport bij je afgeleverd. In hoofdstuk 4 vertelt Lara de Graaf, eigenares van modemerk Ydence en de gelijknamige webwinkel www.ydence.nl je hier meer over.

Beurzen

In Nederland, maar ook in het buitenland, kun je beurzen bezoeken waar fabrikanten hun producten tonen en verkopen aan inkopers zoals jij. Ieder vakgebied kent wel een eigen beurs. Meer informatie hierover vind je uiteraard via Google, maar bijvoorbeeld ook in vakbladen. In artikelen, interviews en advertenties lees je veel over beurzen, maar ook over individuele merken en fabrikanten waarbij je kunt inkopen. Daarnaast kan het sowieso geen kwaad om meer te lezen over de branche waarin jij met je webwinkel actief bent.

Handelscentra

Nederland kent verschillende handelscentra waarin allerlei merken zich bij elkaar hebben gevestigd in één gebouw, zodat je op één dag inkoopafspraken met verschillende merken kunt plannen. Bekende zijn het World Fashion Centre in Amsterdam, Modecentrum Almere en Trade Mart Utrecht. Deze handelscentra richten zich op de sectoren mode, beauty, wonen en lifestyle.

Merken

Wanneer je de producten van bepaalde merken wilt verkopen, kun je op inkoopafspraak gaan bij het (hoofd)kantoor van dat merk of bij de agentuur die het merk in haar portfolio heeft. De meeste merken hebben een eigen website waarop contactinformatie voor retailers (inkopers) staat.

Waar moet je op letten bij het inkopen?

Slim inkopen is een vak apart en je zult merken dat je het alleen kunt leren door ervaring op te doen. Je moet er een gevoel voor ontwikkelen. Als beginner doe je er goed aan om je meer dan uitstekend te laten informeren over leveranciers en naar je eigen intuïtie te luisteren. Gebruik je mensenkennis en bij twijfel, doe het niet! Nu volgen een paar punten waar je goed op moet letten bij het inkopen.

1 Zorg dat je meerdere pijlen op je boog hebt

Je vergelijkt altijd meerdere leveranciers met elkaar, op alle onderstaande punten. Ook ga je relaties aan met meerdere leveranciers van een bepaald product, want het mag niet gebeuren dat een leverancier ermee stopt en jouw webwinkel vervolgens het product niet meer kan aanbieden aan je klanten.

2 Kwaliteit

Je hebt goed voor ogen van welke kwaliteit de producten die jij verkoopt moeten zijn. Bij leveranciers check je de materialen en de manier waarop een product is gemaakt dus ook op die kwaliteit. Wordt er een fabrieksgarantie op geboden? Dat is een goed teken. Wanneer je via het internet in het buitenland inkoopt, kun je niet voelen en ruiken aan materialen of kijken hoe stevig iets is gemaakt. Je kunt wel samples of stalen opvragen, foto's en filmpjes. Laat niet na daarnaar te vragen.

3 Prijs

Is de prijs-kwaliteitverhouding wel in orde? Kun je de marge (het percentage dat je op het product wilt verdienen) die je in gedachten had voor dit product wel hanteren? Als je de kwaliteit niet in verhouding vindt tot de gevraagde inkoopprijs, dan kun je kiezen: of onderhandelen en de prijs omlaag praten, of het product niet inkopen bij deze leverancier. Bij een andere leverancier krijg je misschien wel een lagere prijs. Vraag ook altijd naar staffelkortingen, bij het inkopen van grotere hoeveelheden zakt de prijs per stuk of eenheid vaak aanzienlijk. Koop je in het buitenland in, dan krijg je te maken met hogere transportkosten omdat internationale verzendingen per vrachtschip of per vliegtuig nu eenmaal duurder zijn dan binnenlandse verzendingen. Houd met budgetteren rekening met de kosten van de import.

4 Levertijden
Een veelvoorkomende fout bij startende webwinkeliers is nalaten goede afspraken te maken over levertijden. Ben je aan bepaalde seizoenen gebonden, of wil je voor een bepaalde feestdag spullen in voorraad hebben, dan moet je sowieso op tijd zijn met inkopen, maar check ook altijd of de leverancier van jouw keuze je complete order op tijd kan leveren. Heb je in maart zonnebrillen besteld en worden ze in september pas geleverd, dan heb je de hoogzomermaanden qua verkoop gemist... Houd er rekening mee dat er dingen mis kunnen gaan tijdens het leverproces. Een luchtvaartmaatschappij die staakt op het moment dat je bestelling aan boord van een van de toestellen is, een container die van een schip dondert of het schip dat wordt gekaapt of strandt in het verkeerde land, het is allemaal mogelijk.

5 Bedrijf
Zoek zo goed mogelijk uit met wie je op het punt staat in zee te gaan. Hoe lang bestaat het bedrijf al, van wie is het, aan wie leveren ze nog meer, wat vind je erover op Google? Is de leverancier financieel gezond? Als een bedrijf al tientallen jaren bestaat kan het ook omvallen, maar in theorie minder snel dan een leverancier die net een jaar bezig is. Krijg je snel antwoord op e-mails en telefoontjes? Als het een buitenlandse leverancier is: spreken ze Engels of een andere taal die jij goed beheerst? Kun je op service rekenen? Hoe flexibel zijn ze met de betalingsmogelijkheden?

Verkoopprijs bepalen

Bij het inkopen ga je ook vast kijken naar wat jij op de producten kunt verdienen. De marge is het verschil tussen de inkoopprijs die jij hebt betaald voor het product en de verkoopprijs die je klanten ervoor moeten betalen in je webwinkel. Kostte een tas inkoop 10 euro en verkoop je deze tas voor 22 euro, dan is de marge dus 2,2. Dit is een standaardmarge in de modebranche. In principe is er niemand die je verbiedt om gewoon zoveel te vragen als je maar wilt, maar het is niet verstandig. Consumenten, zeker internetshoppers, doen vergelijkend onderzoek. Ze kijken hoe duur of goedkoop jij bent in verhouding tot andere webwinkeliers met dezelfde producten en kopen – als alle andere eigenschappen van de producten en de webwinkels verder gelijk zijn – vaak bij de goedkoopste. Het is echter niet per se goed om de allergoedkoopste te zijn. Veel merken leveren niet graag aan webwinkels die tegen dumpprijzen verkopen, omdat deze webwinkels dan concurrenten worden van hun *retail resellers* die met hun dure panden en personeel gedwongen zijn een hogere marge te hanteren. Wat is dan wel slim? Ten eerste kun je zelf uitzoeken wat anderen vragen voor de producten en dan ongeveer dezelfde marge hanteren door of iets hoger of iets lager te gaan zitten met je verkoopprijs. Ten tweede hanteren veel leveranciers adviesprijzen waarmee resellers de beste verkoopresultaten hebben geboekt en waarnaar jij dus eens zou kunnen kijken.

Waar laat je het?

Niets is leuker dan de eerste zending met producten ontvangen. Hoe zien de spullen eruit, is het wat je ervan verwachtte, zal het je klanten goed bevallen? Nu je de producten in huis hebt, kun je ze zelf een beetje testen. Super! Maar tussen het moment van ontvangst en de verzending naar de eerste klant die een product heeft aangekocht in je webwinkel, zitten misschien wel een paar weken, of een paar maanden. Waar sla je je voorraad op?

Het is goed om je bij ieder product af te vragen of je er wel een voorraad van moet aanhouden en zo ja hoe groot die voorraad dan dient te zijn. Sommige producten zijn zo bijzonder of zo waardevol, breekbaar of beperkt houdbaar dat het misschien beter is om het product pas te bestellen op het moment dat iemand een aankoop bij je heeft gedaan. Misschien is het zelfs beter om in het geval van breekbare of heel waardevolle producten de leverancier rechtstreeks naar je klant te laten verzenden. Het is trouwens ook mogelijk om dat sowieso met leveranciers af te spreken. Je betaalt extra en de leverancier verzorgt dan de verpakking en de verzending van de pakketten, wat jou veel tijd en ruimte scheelt. Alle informatie hierover stel je netjes aan je klant beschikbaar. Hij of zij wil graag weten of het product op voorraad is, hoe lang de levertijd is en door wie het pakket verstuurd zal worden.

Heb je grote voorraden of denk je dat je die in de toekomst zult hebben, houd er dan rekening mee dat je eigen huis, schuur en balkon op een gegeven moment niet meer zullen voldoen als opslagplaats. Wanneer je

Simone van Trojen van LaDress.com

opslagruimte huurt, staan de producten droog, veilig en mogelijk ook goed verzekerd opgeslagen. De huurprijs zul je wel moeten doorberekenen in je verkoopprijs om er geen verlies op te maken.

INTERVIEW: Simone van Trojen van LaDress.com bedacht dé oplossing voor een dagelijks probleem

Uit de levensverhalen van uitvinders en oprichters van de grootste bedrijven ter wereld blijkt vrijwel altijd dat het lumineuze idee dat aan het begin van hun grote succes heeft gestaan, tot hen kwam op een moment dat zij hun intuïtie volgden. En dat die momenten zich niet zelden hebben voorgedaan in een periode waarin deze mensen zelf hun leven anders wilden inrichten. Het succes komt voort uit de combinatie van het sterk aanvoelen van een behoefte bij jezelf en/of bij anderen en het bedenken van een creatieve oplossing voor het bevredigen van die behoefte. Precies op het juiste moment.

Ook Simone van Trojen, de oprichter van het merk LaDress en de gelijknamige webwinkel LaDress.com, kreeg een briljante ingeving toen zij de tijd nam om na te denken over de invulling van haar leven met haar man en kinderen. 'Na de geboorte van Beau en Lise beleefden mijn man Bart en ik een mooi weekend op het prachtige Griekse eiland Mykonos. Het was onze eerste reis samen, zonder de kinderen. Toen ik – zittend in het warme zand – de schitterende baai in me opnam, dacht ik aan wat de volgende stap in mijn leven zou zijn. Nadat ik mijn rechtenstudie had afgerond, heb ik een aantal jaren in het bedrijfsleven gewerkt, een periode die mij veel voldoening heeft geboden. Ik heb toen belangrijke levenslessen geleerd en zakelijke ervaring opgedaan. Maar ik werkte wat ver van onze woning in Amsterdam en door die afstand vond ik het lastig om mijn werk en de zorg voor mijn twee lieve kinderen te combineren. Ik besefte: ik ben getrouwd, heb een gezin en ik verkeer in een mooie en vredige periode in mijn leven. En toen was het er ineens, daar op het strand van Mykonos bedacht ik LaDress.'

Simone bedacht Het Perfecte Jurkje. Een jurkje waarin elke vrouw, bij elke gelegenheid op haar mooist uitkomt. Een jurkje dat in alle denkbare variaties wordt verkocht in online-*brandshop* www.ladress.com en dat hard op weg is om een internationaal succes te worden.

Gemak dient de vrouw

Simone: 'Toen ik LaDress vier jaar geleden startte, had ik een droom. Over het creëren van een jurkje voor vrouwen zoals ikzelf, die ik zie als de duizendpoten van deze eeuw. Moeder, zakenvrouw, echtgenote, vriendin, als vrouw heb je veel rollen, die je vaak allemaal tegelijk vervult. Ik wilde een jurkje ontwikkelen dat je in al deze rollen kunt dragen. Dus naar je werk en op het schoolplein, maar ook naar een borrel, op een romantische date of naar een chic etentje.' Een veelzijdig jurkje moest het dus worden, dat ook nog eens tijdloos en leeftijdsloos is en in alle situaties en bij alle vrouwen goed zit. 'Ja, ik wilde dat elk vrouwenfiguur er zo mooi mogelijk in uitkomt. En dat is gelukt. Of je nu wel of geen heupen hebt, een weelderige boezem of een bescheiden decolleté, een slanke taille of een opvallend mooie hals, LaDress biedt het perfecte jurkje waarmee je je eigen schoonheid accentueert,' zegt de onderneemster trots.

Deel twee van haar idee was het aan de vrouw brengen van de LaDress-perfectie. Op het Griekse strand had Simone direct helder voor ogen waar LaDress verkrijgbaar moest zijn. 'Exclusief in een eigen webshop. Ik heb nooit aan een ander kanaal gedacht. Of nou ja, ik zeg eigenlijk nooit nooit, maar ik heb ook nu nog geen plannen om LaDress via de traditionele retail aan te bieden. Met het concept van het perfecte jurkje biedt LaDress drukbezette vrouwen een goede oplossing voor het dagelijkse dilemma: wat trek ik aan? Je kunt de jurkjes uit onze collectie eindeloos combineren met andere items uit je garderobe en er elke keer anders uitzien. Die perfecte oplossing moet dan ook voor iedere vrouw, over de hele wereld, makkelijk verkrijgbaar zijn, vind ik. En dat kan via onze webshop. Of je nu in Amsterdam, Parijs of Dubai woont, we leveren overal.'

De eindeloze mogelijkheden van het internet

Dat Simone hoopt met LaDress wereldwijd vrouwen te inspireren, blijkt uit het feit dat LaDress.com reeds in drie talen beschikbaar is. 'Met het internet kun je over de hele wereld afzetmarkten bereiken,' aldus Simone. 'Maar dat is niet de enige reden waarom ik voor exclusieve verkoop via mijn webshop heb gekozen. Het LaDress-concept bestaat niet alleen uit dat perfecte jurkje en een handige webwinkel, ik wil het merk laden met een bepaalde sfeer, en dat kan nergens zo goed als op mijn site.' Sfeervol is www.ladress.com zeker. Simone en consorten hebben heel goed begrepen dat een goede webshop meer is dan optimaal werkende software en het op tijd verzenden van pakketjes. De site scoort op alle basispunten uitstekend en daarnaast bevat deze complementaire content, functionaliteiten die de merkbelevenis van LaDress versterken en daarnaast nuttig zijn, zoals het tabblad How to Wear. Wie deze pagina aanklikt, ziet per jurkje de combineersuggesties van het stylingteam van LaDress, in de vorm van oogstrelende en kleurrijke collages. Zo kun je bekijken welke andere items uit je garderobe goed bij het jurkje van je keuze passen. Ook is er The Perfect Dress Finder, waarbij je zeven vragen beantwoordt en dan per e-mail een overzicht van de voor jou geschiktste jurken ontvangt. Hiermee wordt Simones service aan jou nóg persoonlijker.

Op de pagina LaBlog kun je het laatste nieuws over LaDress en Simone volgen en backstagefilmpjes van de LaDress-show bekijken. Simone creëert met deze functionaliteiten, en met het fictieve karaktertje Lemoni (Simones muze) een eigen wereldje. 'Het gaat erover dat je de vrouw kunt zijn die je wilt zijn, en je mooi voelen, weten dat jij er mag wezen. LaDress wil vrouwen inspireren om het leven te leiden waar ze van dromen, en hun innerlijke schoonheid te tonen met de stijl van hun keuze.'

Ook al rekent men niet af, elke bezoeker is een klant

Met een stijlvolle, helder opgezette website boordevol instrumenten waarmee de virtuele klant in de watten wordt gelegd en natuurlijk die enorme collectie met topjurkjes, leidt Simone dagelijks vele vrouwen naar haar virtuele kassa. 'Ik ben niet iemand die coûte que coûte wil verkopen. Ik wil tevreden klanten. Ook bezoekers die niet meteen iets afrekenen zijn klanten. Er zijn bijvoorbeeld dames die graag eerst de stoffen willen voelen, de kleuren in het echt willen zien. Dat kan. We sturen met alle liefde staaltjes toe. Ook is het mogelijk om op afspraak bij ons op kantoor langs te komen, maar dat gebeurt eigenlijk alleen in uitzonderlijke gevallen. Ik geloof in goede service voor de verkoop en erna en ben oprecht blijer met een lieve reactie van een vrouw die helemaal gelukkig is met één jurkje van LaDress, dan met een uitdraai van mijn omzetcijfers, ook al groeit LaDress sneller dan ik ooit had kunnen bevroeden,' aldus Simone. 'Mijn grote geluk is dat ik doe wat ik altijd al wilde doen en dat geluk hoop ik via LaDress ook een beetje met andere vrouwen te delen. Dat is wat mij drijft, daarmee ben ik succesvol.' Simone is ook eerlijk, dus ze bekent dat haar slagende missie en mooie zwarte cijfers wel degelijk hand in hand gaan.

Laat doen wat je zelf niet kunt

Het hedendaagse succes van LaDress.com is niet uit de lucht komen vallen. Toen Simone wist welk product zij wilde verkopen en hoe zij dat product wilde verkopen, moest het echte werk natuurlijk nog beginnen. 'Ik heb van meet af aan heel goede mensen om me heen verzameld. Een uitstekende patroontekenaar, de beste stoffenfabrikanten. Voor alles wat ik wilde regelen, maar wat ik niet zelf kon, ben ik heel actief de boer op gegaan. Als je echt een goed idee hebt, willen mensen daar graag aan meewerken. Dat gold voor mijn idee voor LaDress ook.' Had Simone dan direct personeel in dienst? 'Nee, ik werkte veel met oproepkrachten. Dat ging allemaal heel professioneel en het werkte prima.'

Tijdens mijn interview met Simone waren er twee jonge vrouwen druk bezig met het beantwoorden van de telefoon en het persoonlijk te woord staan van een klant, een dame die een van de jurken wilde passen. Simone: 'Ik ben zo blij met ons team. Wat ik lezeressen mee zou willen geven, is dat – als je, zoals ik, je merk of je webshop echt heel goed wilt positioneren – er nog heel wat bij komt kijken. Heb je serieuze plannen om er een groot succes van te maken, dan zul je merken dat dit tijdrovend is. We hebben nu een echt team, maar ik doe nog veel zelf. Ik reis ook voor LaDress, om stoffen in te kopen of om ateliers te bezoeken. Ik vind het fijn om er veel tijd in te steken omdat ik mijn werk niet zie als werk. En daarnaast kan ik het prima combineren met de zorg voor mijn gezin en ook nog mijn sociale leven bijhouden.'

Op de vraag wat Simones grootste succes tot nu toe is geweest met LaDress, komt ze niet met mijlpalen, grote orders of cijfers: 'Dat ik er heel gelukkig mee ben. Dat ik elke dag fluitend hiernaartoe ga en dat LaDress als een perfect puzzelstukje in mijn leven past.'

Stap 3

Plan de campagne

Nu je weet bij welke branche en bij welke soort producten je hart ligt, volgens welk concept je je webwinkel wilt uitbaten en waar je kunt inkopen, heb je de belangrijkste eerste stappen gezet en heb je in je hoofd alles op een rij. In dit hoofdstuk zijn we dan ook klaar met práten over hoe het allemaal zou kunnen, je gaat aan de bak! Met een businessplan onder de arm ga je naar de Kamer van Koophandel (KvK) , langs de bank voor een zakelijke bankrekening en misschien wel langs een financier voor wat extra startkapitaal. Je gaat officieel starten. Eerst bedenk je een handelsnaam voor je onderneming en een webadres voor je webwinkel. Onder die naam ben je straks als ondernemer ingeschreven bij de KvK en de Belastingdienst. En met die naam stel je je voor aan je eerste klanten. Jezelf en je webwinkel registreren is opwindend en leuk, maar ook heel belangrijk en wettelijk verplicht. Daar weet Danny Mekić, directeur-eigenaar van Domeinbalie.nl, alles van. Hij geeft je exclusieve tips over hoe je een goede domeinnaam, het webadres van je webwinkel, kunt bedenken en vastleggen en wat daar allemaal bij komt kijken. Ook kun je aan de hand van de adviezen in dit hoofdstuk en die in hoofdstuk 4 hosting voor je website regelen, dat wil zeggen een plek reserveren op het www, waar jouw winkel inclusief alle content zoals teksten, foto's en video's, draait. Stroop je mouwen op!

Niet overslaan: ondernemingsplan

Wel eens op een verjaardag of vrijdagmiddagborrel gesproken over je plannen voor een eigen webwinkel? En daar van hobbyondernemers en nitwits gehoord dat een businessplan onnodig is? Tijdverspilling? Daarom zijn deze personen hobbyisten en nitwits gebleven. Het zorgvuldig opstellen en voortdurend bijschaven van je ondernemingsplan geeft je zelfkennis en trekt je weer in de realiteit als de werkzaamheden voor je webwinkel jou beginnen te runnen in plaats van andersom.

Het schrijven van je ondernemingsplan kun je zien als het maken van een bouwtekening voor je webwinkel. Een bouwtekening moet kloppen, meetbaar en haalbaar zijn. Dat geldt ook voor je businessplan. Je dwingt jezelf daarmee om alle belangrijke, grote lijnen goed uit te denken. Wat je in je hoofd helemaal op een rijtje hebt, schrijf je in je businessplan uit en je zult zien dat je gaandeweg bepaalde zaken nog wilt wijzigen of aanvullen. Op papier zie je immers makkelijker waar jouw grote plan nog rammelt. En, ben jij ook zo iemand die overal zoveel mogelijkheden en kansen ziet dat je alles wel wilt aangrijpen en proberen? Het is veel fijner om er op een A4'tje achter te komen dat dit niet lukt en dat je zaken af moet kaderen dan in de keiharde praktijk als je niet alleen tijd, maar ook geld, goodwill van anderen en heel veel energie hebt geïnvesteerd in een onoverzichtelijk en onuitvoerbaar plan. Je ondernemingsplan helpt je om te focussen. Niet alleen bij de start van je onlineonderneming, maar ook in je tweede of derde boekjaar, als je tussen de bedrijven door de rode draad weer wilt oppakken en aanspannen. En als je externe partijen zoals mogelijke partners of financiers van je gouden ideeën wilt overtuigen, praat niets makkelijker dan een volledig dichtgetimmerd en goed doorgerekend ondernemingsplan.

Nu ik er zo veel gewicht aan heb gehangen, verwacht je misschien dat het een heidens karwei is, zo'n ondernemingsplan schrijven. Dat is dan ook vaak de reden waarom de hobbyondernemers en de nitwits van de vrijmibo afhaakten en roepen dat jij deze stap ook maar moet overslaan. Maar niets is minder waar. Oké, je moet er wel even voor gaan zitten, maar je kunt heel veel (gratis) onlinehulp krijgen bij het opstellen van je businessplan. Op het internet vind je talloze templates voor ondernemingsplannen, standaarddocumenten die je met één druk op de knop kunt downloaden en waarin de belangrijkste elementen van een ondernemingsplan staan, in de vorm van vragen, net zoals bij onze brainstormsessie uit hoofdstuk 2. Een goed voorbeeld van zo'n standaard vind je op www.kvk.nl.

Ondernemingsplan maken? Check www.kvk.nl.

Je denkt rustig na over je antwoorden en schrijft ze zo goed mogelijk op. Dan leg je het ondernemingsplan een tijdje weg, om het later weer op te pakken en het dan aan te vullen met nieuw opgedane kennis. Omdat je bij hoofdstuk 2 al heel goed hebt nagedacht over wat je wilt en hoe je het wilt, zul je zien dat je een groot deel van de vragen zó in kunt vullen.

Boodschappenlijstje voor je businessplan

Een goed ondernemingsplan bevat in ieder geval de volgende boodschappen:

Wie gaat de onderneming drijven?
Stel jezelf en eventueel je zakenpartner voor. Naam, adres en woonplaats. Waarom kies je voor het ondernemerschap? Wat wil je met je onderneming bereiken?

Wat doet je bedrijf?
Wat voor soort onderneming begin je? Wanneer is de (streef)startdatum? In welke behoefte(n) van welke doelgroep(en) voorziet je webwinkel? Hoe dan? Hoe ga je er succesvol mee worden? Hoe ben je op het idee gekomen en heb je het verder uitgewerkt? Wat zie je als grote kansen? Hoe ga je die pakken? En wat zie je als bedreigingen of risico's en hoe ga je daarmee om? Welke rechtsvorm kies je, wordt het een eenmanszaak of een vof, of misschien direct een bv?* Wat zijn de bedrijfsgegevens, voor zover je die al hebt? Waar vestig je het bedrijf, dus van waaruit ga je je webwinkel runnen?

Welke markt ga je bedienen en wat speelt zich daarin af?
Op welke klanten richt je webwinkel zich? Zijn het mannen, vrouwen, ouders, tieners? Waar geven je klanten graag geld aan uit? Waar bereik je ze? Welke webwinkels doen ongeveer hetzelfde als jij? Welke prijs vragen zij voor de producten? Waarmee onderscheidt jouw webwinkel zich van de andere?

Hoe regel je de organisatie van je webwinkel?
Aan welke wettelijke regels moet je voldoen en hoe ga je daaraan voldoen? Zijn je algemene voorwaarden** in orde? Hoe ga je met je administratie om?

* De meeste webwinkels die door particulieren worden gestart, beginnen als eenmanszaak. Werk je met iemand samen, dan is een vof een geschikte rechtsvorm. Wil je meer weten over rechtsvormen en advies aanvragen, kijk dan op www.kvk.nl of ga langs bij de KvK in jouw regio.

** De algemene voorwaarden zijn (wettelijke) basisafspraken tussen jou als webwinkelier en de consument die iets bij jouw webwinkel aanschaft. Je bent wettelijk verplicht deze voorwaarden te publiceren op je site. Op www.internetgodinnen.nl vind je standaard algemene voorwaarden die voldoen aan alle wettelijke eisen voor webwinkels en die zijn opgesteld door Thuiswinkel.org i.s.m. de Consumentenbond voor de Kamer van Koophandel Nederland. Je kunt het document downloaden en je eigen gegevens invullen en als je wilt het een en ander toevoegen aan de algemene voorwaarden. Let op, alleen toevoegen, niet weghalen, want dan voldoe je niet meer aan de wettelijke verplichtingen.

Hoe ga je met de financiën om?
Hoeveel geld moet je uitgeven om je webwinkel te kunnen starten zoals jij dat wilt? Wat kost alles bij elkaar? Heb je dat geld? Waar komt het vandaan, is het je eigen spaargeld, heb je het geleend of ga je het lenen? Van wie? Er zijn veel mogelijkheden om aan geld te komen, maar in je ondernemingsplan moet je wel alle details hierover opnemen, bijvoorbeeld verplichtingen die je bent aangegaan of wilt aangaan. Je kunt je eigen spaargeld aanwenden, rood staan bij de bank, een lening afsluiten bij een geldverstrekker, een tweede hypotheek op je huis nemen of uitstel van bepaalde betalingen regelen bij bijvoorbeeld leveranciers van producten. Hoeveel geld verwacht je te verdienen? Het is de bedoeling dat je je investeringen terugverdient en nog wat extra. Gaat dat lukken en binnen welke periode moet dat lukken?

Wat wordt je onlinestrategie?
Omdat je met je webwinkel op het internet aan de slag gaat, is het goed om je te verdiepen in de mogelijkheden en de beperkingen van het internet, en op basis hiervan een internetstrategie uit te stippelen. *Internetgodinnen* gaat hier niet te diep op in, omdat dit onderwerp zo veelomvattend is dat het genoeg stof biedt voor een hele stapel boeken.* Maar ik zet hier wel enkele basiselementen voor jouw startersinternetstrategie uiteen, waarmee je een goed begin kunt maken.

* Een overzicht van boeken over internetstrategische vraagstukken:
Twitteren met resultaat, Dick Raman
The Social Media Marketing Book, Dan Zarrella
Handboek SEO, Erik-Jan Bulthuis, Martijn Beijk en Martin Joosse
Handboek Usability, Peter Kassenaar

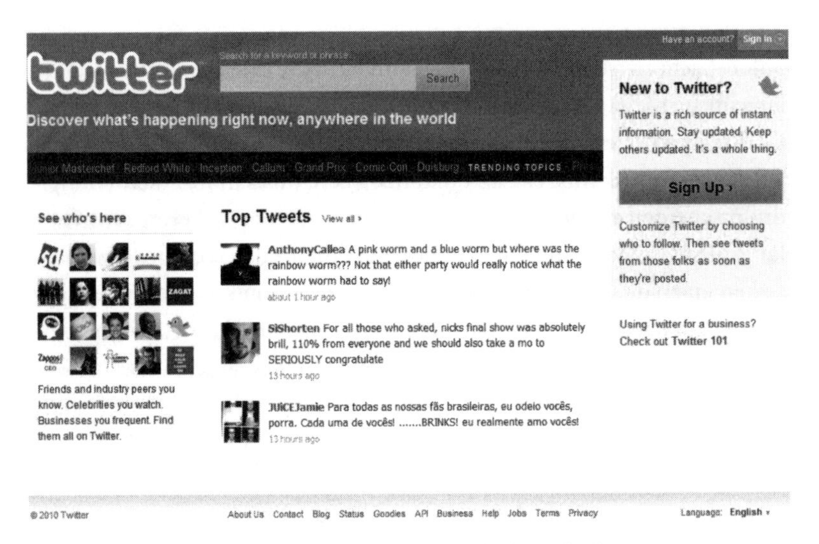

Twitter is een goed medium voor kortlopende acties zoals dagaanbiedingen.

Op Facebook kun je je eigen fanclub/community creëren.

Social media

Iedere zichzelf respecterende webwinkel heeft een account bij de belangrijkste *social media* zoals Twitter, Facebook, YouTube en het Nederlandse Hyves. Deze accounts (gratis!) kun je zien als een uitbreiding van je webshop en je kunt er dan ook bijzondere dingen mee doen om je te onderscheiden van je concurrenten. Je profileert je ermee, maar het belangrijkste is natuurlijk dat je er heel veel mensen tegelijk mee kunt bereiken en zo de bezoekersaantallen van je webshop kunt verhogen. Heb jij een leuke actie bedacht, dan zien jouw 'vrienden' en 'followers' – de mensen met wie je in contact staat via Facebook, Hyves en Twitter – die verschijnen op hun beeldscherm zodra ze met hun laptop of mobiel het internet opgaan.

Twitter is een medium dat zich uitstekend leent voor dagaanbiedingen en snelle acties, op Facebook en Hyves kun je een relatief hechtere relatie opbouwen met een soort fanclub, mensen die jouw webwinkel leuk vinden en die er meer over willen weten dan je in de webshop kunt/wilt laten zien. Op YouTube kun je als een service aan je klanten *how to*-filmpjes plaatsen, instructievideo's over hoe ze een bepaald product kunnen gebruiken. Of een filmpje over hoe het er achter de schermen van je webwinkel aan toegaat. Alle social media lenen zich ook voor winacties die bezoekers naar je webwinkel trekken. Bij het bepalen van de socialmedia-activiteiten die in jouw onlinestrategie passen, houd je altijd in je achterhoofd hoeveel mogelijke bezoekers je ermee denkt te bereiken en hoopt over te halen om een kijkje in je webwinkel te nemen. Want hoe leuk het ook allemaal klinkt, bezig zijn met social media is tijdrovend en acties moeten dus ook wel echt iets opleveren.

Content

De content, oftewel de precieze inhoud van je webwinkel, bestaat uit meer dan een stel producten en een bestelsysteem. Teksten, productomschrijvingen en -specificaties, foto's, filmpjes, logo's, het is allemaal content. En met goede content maak je bezoekers en kopers blij. Goede content bestaat uit pakkende teksten zonder spelfouten, zo veel mogelijk productinformatie, dus maten, gewichten, hoe je het product goed kunt houden, wasinstructies, garantievoorwaarden et cetera. In je onlinestrategie bepaal je dus vooraf hoe je voor goede content van je webwinkel zorgt.

Ontwerp & lay-out

Webshoppers winkelen graag in een digitale omgeving die er niet alleen mooi en gepast uitziet, maar die ook gebruikersvriendelijk is. Het design van je webwinkel en de gebruikersvriendelijkheid, ook wel *usability* genoemd, moeten op elkaar afgestemd zijn. Hoe beter je dit voor elkaar hebt, hoe minder bezoekers voortijdig je webwinkel verlaten.

Zoekmachineoptimalisatie

Over zoekmachineoptimalisatie, oftewel SEO (Search Engine Optimizing), zijn boeken volgeschreven. Zoekmachineoptimalisatie is een wijze van het bouwen van je website en het vullen ervan met content op zo'n manier dat Google jouw site goed kan indexeren, met als resultaat dat je in de zoekmachine beter wordt gevonden. Wil je professioneel aan de slag, dan is het raadzaam om je webwinkel zo zoekmachinevriendelijk mogelijk te bouwen en met content te vullen. Hiervoor heb je enige technische kennis nodig, die je in principe overal kunt opdoen, maar het is heel goed mogelijk en zelfs aan te raden om dit uit te besteden aan een expert.

En we noemen hem...

Als je de stappen uit hoofdstuk 1 en 2 hebt doorlopen en je je ondernemingsplan klaar hebt, is het bijna zover... jouw webwinkel gaat nu echt ter wereld komen. En wat heb je dan nodig? Juist, een naam! Niets is leuker dan het bedenken van De Naam die straks achter www. en voor .nl of .com staat, de naam die op je visitekaartjes staat, op je Kamer van Koophandel-inschrijving en op je bankafschriften. 'Ik heb iets gekocht bij...' zegt je eerste klant straks tegen een vriendin. Je wilt natuurlijk dat er iets spetterends op de plaats van die puntjes komt te staan. Iets wat in één woord, of een paar pakkende woorden vertelt wat jouw webwinkel doet en wat bij je past. Hoe leuk de naam van jouw webwinkel wordt, hangt van je eigen creativiteit af. Ik kan je alleen vertellen waaraan een goede naam in ieder geval voldoet. Danny Mekić, directeur van Domeinbalie.nl, heeft daar ook een mening over. Hij richtte op zijn 15e zijn onlinedomeinnaamregistratie- en hostingbedrijf op en registreerde inmiddels al heel wat domeinnamen voor zowel startende als ervaren ondernemers.

Met een goede naam...

... ben je in de toekomst ook nog blij

De naam van jouw onderneming – die je gaat inschrijven bij de KvK – hoeft niet per se dezelfde te zijn als die van de webwinkel die je nu gaat beginnen. Het kan bijvoorbeeld zijn dat je als handelsnaam Online Kantoorvakhandel De Jong kiest en dat je begint met de webwinkel www.wenskaartwinkel.nl. Met deze handelsnaam kun je namelijk later ook nog Potloodenpen.nl en Pakketverpakking.com starten.

... vertel je de bezoeker wat je verkoopt

Stel, Suzan verkoopt theedoeken en pannenlapjes. Ze registreert Suzansshop.nl. Zonde van haar geld, want Suzansshop.nl is een heel slechte domeinnaam. Niet alleen is het een weinig creatieve naam, er wordt ook niet in duidelijk wat Suzan aanbiedt. Theedoekenshop.nl, pannenlapjes.nl en Suzieskitchen.nl zijn drie voorbeelden van domeinnamen die wel geschikt zijn voor Suzans webwinkel. Domeinnamen waarin het aangeboden assortiment voorkomt, doen het beter in Google. Suzieskitchen.nl bekt lekker, en vertelt dat Suzan keukenspullen verkoopt.

... val je op

Het allermoeilijkste is mensen je naam laten onthouden. Toch is het de moeite waard om een poging te doen. Je wilt namelijk dat mensen terugkomen als zij nog een keer iets nodig hebben, en dat ze jouw webwinkel dan makkelijk terugvinden. Een naam die allitereert, zoals Hip voor de Heb, wordt makkelijker onthouden dan Hebbedingetjes Winkel. Ook woordspelingen worden minder snel vergeten. Een webwinkel in slagsportspullen Mepshop.nl noemen, is slim én ludiek.

... word je niet voor het gerecht gesleept

'Beter goed gejat dan slecht bedacht' gaat hier niet op. Bij het bedenken van je handelsnaam en je domeinnaam (webadres/URL) ben je geheel vrij om zo creatief te zijn als je maar wilt, maar kopiëren is vrijwel onmogelijk en daarnaast strafbaar. Bedenk je een domeinnaam, check dan eerst online of deze niet al is geregistreerd door iemand anders. Dat kan op www.sidn.com, de website van de Stichting Internet Domeinregistratie Nederland. Is de .nl-naam al door iemand vastgelegd en wil je de naam toch graag voor jezelf hebben? Via SIDN kun je de contactgegevens van de domeinnaamhouder achterhalen en kijken of je de naam (tegen betaling) kunt overnemen. Kun je de naam niet overnemen of wil je er niet voor betalen, dan is het jammer en zul je iets anders moeten bedenken. Wil je kijken of jouw .com-domeinnaam al bestaat? Dat kan gratis bij vrijwel ieder domeinregistratiebedrijf op de homepage. De gegevens van deze domeinnaamhouders inzien kan ook, dat heet 'Whois', 'van wie is'.

Sommige mensen denken slim te zijn door een domeinnaam te bedenken die erg sterk lijkt op die van een bekend bedrijf. Een fictief voorbeeld: ThuisbezorgdinNL.nl. Je kunt dan grote juridische problemen krijgen met

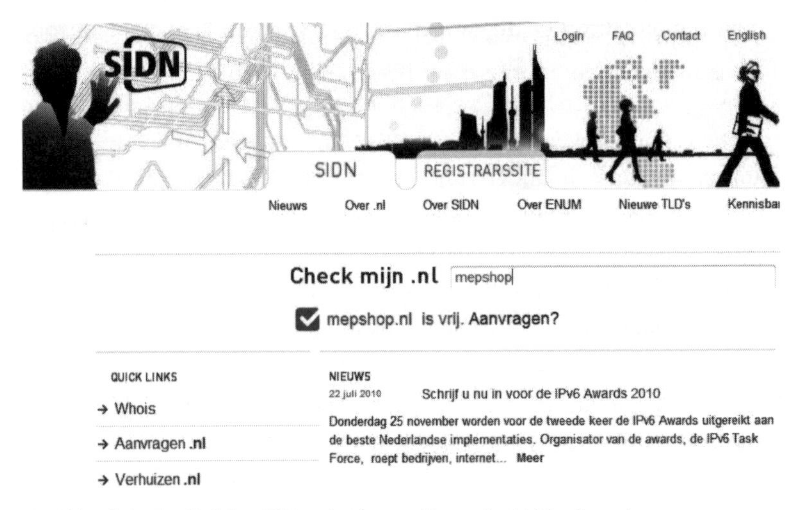

Op Sidn.nl checkte ik de beschikbaarheid van mijn voorbeeld Mepshop.nl

de organisatie Thuisbezorgd.nl, die houder is van de handelsnaam en het merk Thuisbezorgd en van www.thuisbezorgd.nl. Zoiets is dus sterk af te raden. Je hoeft niet bang te zijn dat je per ongeluk handel gaat drijven onder een naam waarmee je kunt worden aangeklaagd, want de KvK-medewerker bij wie je je inschrijft, checkt tijdens de inschrijfprocedure of er bedrijven zijn met dezelfde handelsnaam. Het kan ook voorkomen dat er inderdaad al een bedrijf is met een sterk gelijkende handelsnaam of merknaam, maar dat dit bedrijf de naam alleen voor een handelsklasse heeft geregistreerd waarmee jij niets te maken hebt. Als het bedrijf onder de desbetreffende naam fietsen aanbiedt en jij zit in snoep- en suikergoed, dan heb je niets te vrezen.

Naam bedacht? Vastleggen!

Heb je De Naam bedacht? Vóór je je vinding enthousiast gaat delen met iedereen die het maar horen wil, is het zaak dat je snel een domein registreert. Dat kan online binnen een paar muisklikken worden geregeld. Bij de bedrijven die hierin zijn gespecialiseerd kun je jouw domeinnaam al voor drie euro per jaar laten vastleggen. Vaak wordt er bij deze registratie ook gevraagd of je meteen hosting voor je webwinkel wilt regelen bij dezelfde partij. Dat houdt in dat de webhoster bij het registreren van je domeinnaam ook direct de digitale ruimte reserveert die je nodig hebt voor je webwinkel. Hoe groot die ruimte moet zijn, bepaalt hij door je eerst een paar vragen te stellen. Hij zal bijvoorbeeld vragen hoeveel (product)foto's en andere afbeeldingen op je site moeten kunnen staan, of je filmpjes gebruikt en wat je groeiplannen zijn. Verder maakt de webhoster ook e-mailadressen voor je webwinkel aan zoals info@mepshop.nl, suzan@mepshop.nl, pers@mepshop.nl en retour@mepshop.nl.

Hosting is een vrij technisch iets en het kan lastig zijn om tussen de duizenden aanbieders een passende hostingpartij te vinden die precies biedt wat jij wilt op de manier waarop jij dat wilt. Je kunt in elk geval letten op het volgende: wat kan de aanbieder vertellen over zijn servers? De server waarop jouw webwinkel draait, mag niet omvallen zodat jij vervolgens offline bent of je site heel traag wordt. Ook moet de server geschikt zijn voor het e-commercesysteem achter je webwinkel. Dat systeem, bijvoorbeeld Magento* kent bepaalde technische specificaties die overeen moeten komen met de ondersteuning door de servers bij de webhosting-partij. En als er technische problemen met je webwinkel zijn, kun je dan op ondersteuning door deze partij rekenen?

INTERVIEW: Danny Mekić: 'Over vijf jaar zijn er meer aanbieders van domeinnamen dan groenteboeren. Ga voor service.'

Danny Mekić is pas 23 jaar, maar staat al bijna tien jaar aan het roer van zijn bedrijf Domeinbalie.nl. De jonge expert beantwoordde voor *Internetgodinnen* tien vragen over domeinnamen en hosting.

Kun jij me vertellen hoeveel procent van de domeinnaamaanvragen bij jouw bedrijf anno 2010 voor webwinkels zijn?
'Een exact percentage kan ik je niet geven, maar een flink deel van de aanvragen die wij bij Domeinbalie.nl binnenkrijgen, is bedoeld voor een (gedeelte van) een webwinkel. En dat aantal neemt in rap tempo toe. Er is immers ook steeds meer variatie in het aanbod van webwinkels.'

Welke verschuivingen zag je de afgelopen vijf jaar in de domeinnaamaanvragen voor webwinkels?
'Jaren geleden, kort na de internetbubbel rond het jaar 2000, waren het vooral grote bedrijven die zich voorzichtig bezighielden met e-commerce en het aanvragen van domeinnamen voor hun webwinkels. De afgelopen vijf jaar is er wat dat betreft veel veranderd. Je hoeft niet langer een groot bedrijf te hebben om succesvol te kunnen starten met een webwinkel. Rond 2008 zag ik een piek in het aantal domeinnaamaanvragen voor webwinkels, de webshops schoten toen ook overal als paddenstoelen uit de grond. Anno 2011 kan iedereen een eigen webwinkel starten, als je de

* Je hóéft de hosting voor je webwinkel niet meteen te regelen. De hosting hangt namelijk sterk samen met het type webwinkel dat je kiest. Of je zelf een webwinkel gaat (laten) bouwen, of je met gratis *open source software* gaat werken, of eenvoudig begint met een compleet pakket van een aanbieder als Mijnwinkel.nl, bepaal je voor jezelf in hoofdstuk 4. Afhankelijk van je keuze is hosting soms standaard inbegrepen.

juiste wegen maar weet te bewandelen. Nieuw zijn de webwinkels waar geen producten, maar diensten worden aangeboden.'

Wat zijn volgens jou de kenmerken van een heel goede domeinnaam?
'Een domeinnaam moet vooral goed te onthouden zijn. Kleertjes.com werkt dan beter dan Demooistekledingwinkel.nu. Ik denk dat het succes van Kleertjes.com deels schuilt in de mooie, simpele, goed uit te spreken en te onthouden domeinnaam. Denk hieraan als je een domeinnaam gaat verzinnen. Heel eenvoudig is het echter niet meer om een goede naam te claimen. Er zijn steeds meer mensen die de weg naar een bedrijf als Domeinbalie.nl weten te vinden, waardoor steeds meer domeinnamen worden vastgelegd en dus al vergeven zijn. Het aanvraagproces wordt steeds makkelijker: bij ons kun je jouw domeinnaam met meer dan 150 domeinnaamextensies (.nl, .com, .net, .org, .nu, .es et cetera) volledig geautomatiseerd en online registreren. Je kunt dus midden in de nacht een domeinnaam aanvragen. Die is dan de volgende morgen al actief. Daarom is er meer dan ooit creativiteit nodig om aan een goede domeinnaam te komen.'

Wat vind jij slechte domeinnamen? Wat zijn veelgemaakte fouten?
'Slechte domeinnamen zijn meestal lang of moeilijk te onthouden. Domeinnamen die niet vertellen wat het bedrijf biedt, vind ik ook slecht, tenzij je een merk met een enorm bekende naam hebt opgebouwd, bijvoorbeeld Mercedes. Hun domeinnaam Mercedes.nl is natuurlijk uitstekend.

Een veelgemaakte fout is nalaten de domeinnaam in varianten vast te leggen. Je hebt verschillende extensies: .nl, .com, .eu, .org. Het is verstandig om de domeinnaam in verschillende beschikbare varianten vast te leggen, zodat later niemand anders er met jouw naam vandoor kan gaan. Als dat gebeurt, kun je de naam heel misschien nog via een rechter terugvorderen, maar een garantie heb je niet. Ook is het verstandig om losse woorden mét en zonder streepje vast te leggen (mijnwebwinkel.nl en mijn-webwinkel.nl) en bij woorden die je op verschillende manieren kunt schrijven, als je de uitspraak hoort, ook de verschillende varianten vast te leggen (Domeinbalie.nl en domijnbalie.nl).'

Hoe zit het juridisch met het registreren van een domeinnaam?
'Veel mensen denken dat je een domeinnaam kunt 'kopen', dat is niet waar. Een domeinnaam registreer je voor een bepaalde periode, vaak een jaar. Ieder jaar moet je een vergoeding betalen aan de provider waar je je naam hebt vastgelegd. Je betaalt dus voor het recht om de naam te gebruiken. Dat recht kun je natuurlijk wel verkopen. We zien bij Domeinbalie.nl dan ook steeds vaker dat namen niet meer vrij zijn en dat mensen ons inschakelen voor advies om een bestaande domeinnaam over te nemen. Wij helpen onze klanten dan om het recht op het gebruik van de domeinnaam van iemand over te kopen, en de prijs zo laag mogelijk te houden. Dat is leuk om te doen!'

Neem je ook trends waar in de registratie van namen?
'Het vastleggen van domeinnamen gebeurt met een zekere geheimhouding, het is dus niet zo dat we van de registraties bijhouden of het Nederlandstalige of Engelse namen zijn. Wel merken we aan de telefoon of in e-mailwisselingen met klanten welke kant het op gaat met de trends. Een tijdlang was .tk populair. Dat was een gratis domeinnaamextensie die makkelijk aan te vragen was, maar daardoor oogde het weinig professioneel voor serieuze bedrijven. Tegenwoordig is het ook makkelijker om andere extensies vast te leggen; je ziet dus dat mensen weer sneller teruggrijpen op de populairste extensies. Dat zijn .nl, .com, .net, .org, .nu, .eu, .de (Duitsland) en .be (België).'

Welke trends voorspel jij?
'Er worden steeds meer domeinnamen geregistreerd. Er komt dus een moment dat de domeinnamen op de grootste extensies zoals eerder genoemd, uitgeput raken. Het is dan erg lastig om nog een originele en goede domeinnaam te bedenken. Ik verwacht dat minder bekende extensies snel aan populariteit zullen gaan winnen, er zijn er wereldwijd meer dan 300! Ook denk ik dat de politiek zich ermee zal gaan bemoeien. Dat het bijvoorbeeld alleen nog maar toegestaan wordt om een domeinnaam vast te leggen als je die ook daadwerkelijk gebruikt of gaat gebruiken. Dat zie je nu terug in bijvoorbeeld het merkenrecht, en het zou kunnen helpen

om het aantal beschikbare namen weer toe te laten nemen. Dat zal voor veel domeinnamenaanbieders verschrikkelijk zijn, omdat ze hun omzet zullen zien dalen. Maar ik kijk er eerlijk gezegd wel naar uit: bij Domeinbalie.nl hebben we eigenlijk alleen maar klanten die hun domeinnamen actief gebruiken. Wij helpen graag mensen bij hun internetideeën.'

Er is een heel woud aan sites waarop je een naam kunt registreren en hosting kunt regelen. Waar moet je op letten als je een aanbieder gaat uitzoeken?
'Ik heb wel eens gezegd: over vijf jaar zullen er meer aanbieders van domeinnamen dan groenteboeren zijn, en ik denk dat ik gelijk zal krijgen. Het is steeds makkelijker geworden om domeinnamen te registreren, en er zijn ook steeds meer bedrijven die dat zijn gaan doen.

Veel hostingproviders bieden domeinnamen aan als 'bijgerecht', maar zijn weinig gespecialiseerd. Ze bieden bijvoorbeeld maar vijftien verschillende extensies aan. Je ziet ook steeds meer 'zolderkamerhosters': dat zijn bedrijven die weinig tot geen service bieden, geen telefoonnummer hebben, en die worden gerund door mensen die in het dagelijks leven een fulltimebaan hebben en 's avonds in een vrij uurtje de vragen van klanten beantwoorden.

Beter is het om op zoek te gaan naar een professionele domeinnamenaanbieder die meer oog heeft voor service. Zo'n aanbieder is vaak eerlijker met zijn tarieven (goedkope aanbieders hebben nog wel eens verborgen kosten) en zeker als startende ondernemer is het goed als je kunt rekenen op de steun van een professioneel bedrijf. Veel mensen zoeken eerst een hostingprovider op, en registreren dan hun domeinnaam. Ik zou altijd eerst de domeinnamen vastleggen, en daarna pas op zoek gaan naar een hostingprovider. Dat kan ook een heel ander bedrijf zijn!'

Waarmee onderscheidt Domeinbalie zich in dat woud van aanbieders?
'Domeinnamen worden in het Nederlandse bedrijfsleven steeds belangrijker: stel je voor dat er een grote storing plaats zou vinden met de domeinnamen van grote bedrijven, dan kunnen er zomaar duizenden mensen zijn die niet kunnen e-mailen, internetten of zelfs bellen; het zou een puinhoop worden. In 2002 ben ik begonnen met Domeinbalie.nl en heb ik met

mezelf afgesproken dat ik met mijn bedrijf altijd voor de hoogst haalbare kwaliteit zou gaan.

In de praktijk betekent dat: hard werken met je team en ervoor zorgen dat je goed bereikbaar bent per telefoon en e-mail en dat je snel reageert. We hebben ook wel eens klanten op de koffie op kantoor. We nemen altijd de tijd om met klanten mee te denken over bijvoorbeeld een goede domeinnaam, welke extensies verstandig zijn om vast te leggen, en we vertellen altijd waaróm. Verder zijn we, voor zover ik weet, de enige Nederlandse aanbieder met standaard meer dan 150 domeinnamenextensies in ons assortiment. Er is altijd wel een naam vrij die je zal aanspreken en die je direct via onze website kunt vastleggen. En dat tegen de laagste tarieven in het professionele/kwalitatieve segment.'

Vind jij dat er nog iets is waar ik beginnende webwinkeliers over moet vertellen?
'Zorg voor goede Algemene Voorwaarden. Ik heb een achtergrond als jurist en ik zie veel startende internetondernemers hiermee de mist ingaan. Het kan je een hoop geld kosten als je op dit gebied verzaakt, dus lees de paragrafen over Algemene Voorwaarden in dit boek heel goed.'

Weet je wat jij zou moeten doen?

Even langs de Kamer van Koophandel. Dé slagzin van de KvK. Voor al je ondernemersideeën, -plannen en -vragen kun je er terecht. Ga je je eigen webwinkel (= een onderneming) starten, dan móét je zelfs naar de KvK, want je activiteiten dienen te worden geregistreerd in het handelsregister en bij de Belastingdienst.

Het handelsregister van de Kamer van Koophandel is er zodat de wetten voor het zakendoen kunnen worden gehandhaafd. Volgens de handelsregisterwet (juli 2008) zijn alle ondernemers en rechtspersonen, dus van marktkraamhouders tot verenigingen van eigenaren tot notarissen en zelfs ministeries, gehouden zich in te schrijven in dit immense register. Ga jij als ondernemer zakendoen met een bepaalde leverancier? Dan kun je, om jezelf ervan te vergewissen dat het een betrouwbare partij betreft, zijn bedrijf checken in het handelsregister. Hierin moet je als ondernemer namelijk vrij veel informatie vrijgeven over je bedrijf. Denk aan de NAW-gegevens van het bedrijf, maar ook aan het privéadres van de eigenaar, of er faillissementen zijn geweest en welke ondernemingen er misschien nog meer op het adres zijn ingeschreven.

Om je in te kunnen schrijven bij de KvK, dien je wel aan een aantal voorwaarden te voldoen. Ten eerste is de minimale leeftijd om je in te schrijven 18 jaar. Ben je minderjarig, dan moet je eerst met je ouders/verzorgers bij de kantonrechter een zogenaamde 'handlichting' aanvragen. Daarmee word je handelsbekwaam geacht en kun je je onderneming in het handelsregister laten inschrijven. De overige voorwaarden zijn allemaal vrij logisch en worden op www.kvk.nl nader toegelicht. Het bijhouden van het handelsregister en het informeren en stimuleren van Nederlanders om te gaan ondernemen, kost geld en daarom betaal je – afhankelijk van de rechtsvorm waarvoor je kiest – jaarlijks een vaste bijdrage voor opname in het handelsregister. Voor een eenmanszaak bedraagt die bijdrage rond de vijftig euro per jaar. Op de website van de KvK vind je het dichtstbijzijnde kantoor bij jou in de buurt en de openingstijden. Je kunt meestal zonder afspraak langsgaan om je webwinkel in te schrijven. Vergeet niet een geldig legitimatiebewijs mee te nemen en een betaalpas. Je krijgt namelijk direct een uittreksel van het handelsregister met je bedrijfsgegevens en je KvK-nummer erop, en voor dat uittreksel betaal je elf euro. Ook dien je direct de KvK-bijdrage voor het eerste jaar te voldoen.

Start je je webwinkel als eenmanszaak of vof, dan wordt je onderneming direct bij de inschrijving in het handelsregister bij de Belastingdienst aangemeld. Dat is heel handig, want je krijgt dan gelijk een btw-nummer, dat bestaat uit de letters NL, je burgerservicenummer (vroeger sofinummer) en de extensie B.01.

Naar de bank!

Als ondernemer heb je een zakelijke bankrekening nodig waarop je het met je webwinkel omgezette geld stort en waarmee je inkomende facturen, zoals die van je leveranciers, betaalt. Om dit te regelen kun je het best even bij een kantoor van de bank van jouw voorkeur langsgaan. Met een medewerker kun je het hebben over de gewenste kredietlimiet van de bankrekening, hoe vaak je afschriften wilt ontvangen, het aantal betaalpassen en een eventuele creditcard en je kunt direct regelen dat je met de rekening kunt internetbankieren. Neem je paspoort of een ander geldig legitimatiebewijs mee, plus je uittreksel van de KvK.

Als je weer buiten staat, kun je gaan handelen! Met je KvK-uittreksel, btw-nummer en een zakelijke bankrekening kun je bijvoorbeeld inkopen. Leveranciers zoals fabrikanten en merken willen deze gegevens vaak zien voor ze aan je willen leveren.

Stap 4

Met je hoge hakken in de modder: aan de slag

Was je drie hoofdstukken geleden nog een vlotte meid met een leuk idee voor een eigen bedrijfje, nu ben je een aantal belangrijke stappen verder en mag je jezelf ondernemer noemen. Alle papieren zijn in orde en je hebt een kant-en-klaar businessplan, de bouwtekening voor je webwinkel en de bedrijfsvoering daarvan. Waarschijnlijk ben je ook al her en der aan het kijken voor producten in je webshop, of ben je zelfs al aan het inkopen. Dat winkelen voor de leukste artikelen om aan je klanten te verkopen, is de betrekkelijk zachte kant van het ondernemen. Voor de harde kant van het opstarten van je bedrijf, de praktische kant, zul je af en toe met je hoge hakken in de modder moeten staan. Zeker nu je je webwinkel gaat (laten) bouwen, zullen er dingen van je gevraagd worden waar je misschien niets mee hebt, maar die je wel een topstart van je bedrijf kunnen opleveren. Je moet het zo zien: als je een fysieke winkel begint, vind je het kiezen van de verfkleuren en het inrichten van je etalage waarschijnlijk leuker dan het nadenken over en aanwijzen waar de stopcontacten moeten komen. Toch móét je eerst over die stopcontacten nadenken voor je kunt gaan schilderen en inruimen. Maar als je winkel eenmaal klaar is, en alle installaties perfect functioneren doordat je er goed over hebt nagedacht, kun je er nog jaren efficiënt en prettig in werken.

Voor je webshop bedenk je ook eerst wat deze allemaal te bieden moet hebben (functionaliteiten) en hoe het een en ander moet werken zodat jij – de webwinkelier en de beheerder van de shop – ermee uit de voeten kunt. Pas daarna ga je denken aan design, kleuren, vormen, lettertypes en het vullen van je webwinkel. De internetgodinnen die ik voor dit boek interviewde, geven je hun tips en Durk Jan de Bruijn van MijnWinkel.nl doet letterlijk een duit in jouw zakje, wat je mogelijk heel goed van pas kan komen.

In dit hoofdstuk gaan we het hebben over wat een goede webwinkel allemaal bevat, over zelf je webwinkel maken of het voor je laten doen, over het vullen van je webwinkel met producten en andere content en over je presentatie. En tot slot verdiepen we ons in het regelen van de juiste (online)betaalmethoden voor je webwinkel, zoals iDeal, PayPal en creditcard. Als je webwinkel gebouwd, gevuld en getest is... kan-ie live!

Webwinkel-must-haves

Er zijn webshops waar je graag rondkijkt en zo nu en dan iets afrekent, webwinkels waar je binnen één muisklik weer buiten staat en digitale winkelparadijzen waar je gewoon elke week móét kijken naar alle nieuw aangekomen artikelen. We hebben allemaal zo onze favorieten. En onze ergernissen, waardoor we bepaalde webwinkels liever links laten liggen. Maak voor jezelf een tabel. Links zet je de stomste webwinkel die je ooit hebt bezocht. Zoek deze webshop nog eens op en schrijf op wat je er allemaal onhandig aan vindt. Let niet op het assortiment, of op het type producten dat er wordt aangeboden, maar op hoe jij het online winkelen in deze webshop ervaart. Werken alle menu's, kon je makkelijk navigeren en vinden wat je zocht? Waren de productfoto's goed? De teksten pakkend? Rechts zet je de beste webshop die je ooit hebt gezien met een lijstje van alle dingen die jij als zoekende klant fijn en handig vond in deze webwinkel. Trek daarna je conclusie en besluit op een kladblaadje wat jij met jouw webwinkel gaat doen om het je bezoekers zo veel mogelijk naar de zin te maken.

Het concept van het thuiswinkelen is ooit bedacht om het de vragende consument met in zijn zakken brandend geld zo makkelijk mogelijk te maken om het uit te geven. Misschien niet zo'n heel aardige gedachte, maar wel eentje die je in je achterhoofd moet blijven houden als je de digitale kassa van je webshop wilt laten rinkelen. Zo moet een klant eigenlijk in drie of minder stappen met een aankoop je webshop kunnen verlaten. Product vinden, bekijken, afrekenen. Het product dat je zoekt na eindeloos scrollen of pagina's doorklikken eindelijk vinden, het niet helemaal goed kunnen bekijken (informatie ontbreekt of de foto is slecht), bij de kassa aankomen en dan pas ontdekken dat je eerst een account moet aanmaken en in moet loggen om af te kunnen rekenen, is níét makkelijk. Het aantal mogelijke afhaakmomenten is heel groot. Als je website gebruikersvriendelijk is, vergroot je het gemak waarnaar de klant op zoek is. Hij of zij wil vanuit de luie stoel binnen een paar muisklikken gelukkig gemaakt worden. Met een mooie site, een assortiment dat aanspreekt, een goede prijs-kwaliteitverhouding en zo veel mogelijk gemak wil de klant gedachteloos topaankopen kunnen doen.

Over het creëren van zo veel mogelijk gemakken (usability) voor internetgebruikers, onder wie webshoppers, is al heel veel geschreven. Wil je je hierin grondig verdiepen, dan is het boek *Don't Make Me Think* van de Amerikaanse auteur Steve Krug een aanrader.

In deze paragraaf behandelen we de basisfunctionaliteiten waar jouw webwinkel niet buiten kan om bezoekers aan te trekken, ze in huis te houden en ze alleen 'het pand' te laten verlaten met een afgerekende aankoop onder de arm.

1 Mooie, overzichtelijke pagina's met nuttige content

Alle pagina's van je website moeten even mooi zijn. Bezoekers die via Google of een andere site op een linkje klikken, komen namelijk niet altijd uit op je homepage. Ze kunnen ook belanden op je 'Over ons'-pagina, je contactpagina of op een willekeurige productpagina. Stop je alleen veel energie in het creëren van een deftige homepage en zijn de overige pagina's maar karig, dan stel je de bezoeker teleur en is hij of zij direct weer weg.

2 Een aanlokkelijke showroomentree met een gastvrouw: de homepage

De meeste bezoekers komen via de homepage je webwinkel binnen. Tenminste, als ze aan de hand van je homepage hebben besloten dat de webshop een bezoek waard is. Op je homepage toon je in één keer wie je bent en

Dit is geen homepage, maar gewoon een van de pagina's op Neimanmarcus.com.

wie je wilt aanspreken, wat de bezoeker van je aanbod kan verwachten en hoe jouw webwinkel werkt. Je zet op de homepage een bepaalde sfeer neer waarmee je de bezoeker naar binnen wilt lokken, met design en foto's van aantrekkelijke, betaalbare producten. Dat doen de betere warenhuizen ook! Met een chic ingerichte winkelvloer, overal mooie reclamefoto's en een representatieve gastvrouw die je de weg wijst en je helpt, word je naar de stand van een bepaald merk gelokt. Op jouw homepage is een helder menu (een breedtebalk met knoppen bovenaan en/of een rijtje met knoppen links op je website) waarin de belangrijkste pagina's worden genoemd, de gastvrouw. Het menu wijst de bezoeker de weg. Op je homepage moeten minimaal staan: je logo (wie ben je?), een duidelijk menu (hoe werkt je site?), sfeerbeeld (wat straal je uit?), een paar producten met prijsinformatie (wat

Deze webwinkel voor meisjesondergoed heeft het ook begrepen.

verkoop je?), je contactgegevens (waar ben je te bereiken?), betaalmethoden* en het winkelmandje (komt op elke pagina terug zodat de klant kan zien of er al iets in zit) en eventueel een inlogveld en een zoekveld.

3 Over ons: 'echte' verkopers staan in de winkel

Mensen zien graag andere mensen; op straat, op televisie, in bladen en kranten. En op internet. Webshoppers, vooral vrouwelijke, vinden men-

* Op de verschillende betaalmethoden die je kunt aanbieden komen we terug in paragraaf 4.7.

Ook bij de Bijenkorf kun je online shoppen, je komt binnen op een goede, mooie homepage.

sen kijken op het internet net zo leuk als mensen kijken op een terras. Ga dus gewoon in je webwinkel staan, net zoals de eigenaren van fysieke winkels dat doen. De 'Over ons'-pagina leent zich daar bij uitstek voor. Je plaatst een goede foto van jezelf (waarop je er representatief uitziet) en/of je partner of personeel en schrijft een korte, foutloze, pakkende tekst over je webwinkel en je assortiment. Als bezoekers een leuk type zien en een goed verhaal lezen, stijgt hun consumentenvertrouwen met sprongen. Als je een fysieke winkel bezoekt, dan kijk je niet alleen naar de inrichting van de winkel en de spullen die er worden verkocht, maar ook naar het personeel. En dan bepaal je je algehele indruk en of je iets bij deze mensen wilt aanschaffen. Hetzelfde geldt voor de bezoekers van jouw webwinkel, dus wees zo transparant mogelijk. Wil je het echt goed doen, plaats dan ook 'achter de schermen-foto's' en filmpjes. In een webwinkel kun je niet hetzelfde persoonlijke contact met klanten hebben als in een fysieke winkel, maar je doet er goed aan om dit zo veel mogelijk te benaderen.

4 Een assortimentsindeling in productgroepen

Niet elke bezoeker van je webwinkel is per se op zoek naar een specifiek product. Net zoals je zelf soms gaat winkelen en denkt 'ik zie wel of ik wat leuks tegenkom', doen mensen dat ook in een webshop, bijvoorbeeld als ze voor een cadeautje aan het kijken zijn. Het is dan fijn als je niet 500 producten op één pagina ziet, maar dat ze zijn ingedeeld in groepen en subgroepen. Kom je in een schoenenwinkel om een beetje te snuffelen, dan loop je ook weg als alle schoenen door elkaar op een grote berg liggen. Je loopt van het schap met de sportschoenen naar dat met de pumps en dan naar het rek met de afgeprijsde laarzen. In de webwinkel zijn de productgroepen en de productsubgroepen je schappen en rekken. Een productgroep kan bijvoorbeeld zijn 'Tassen' en een subgroep van die productgroep kan zijn 'clutches', of 'schoudertassen'. Heb je een flink assortiment

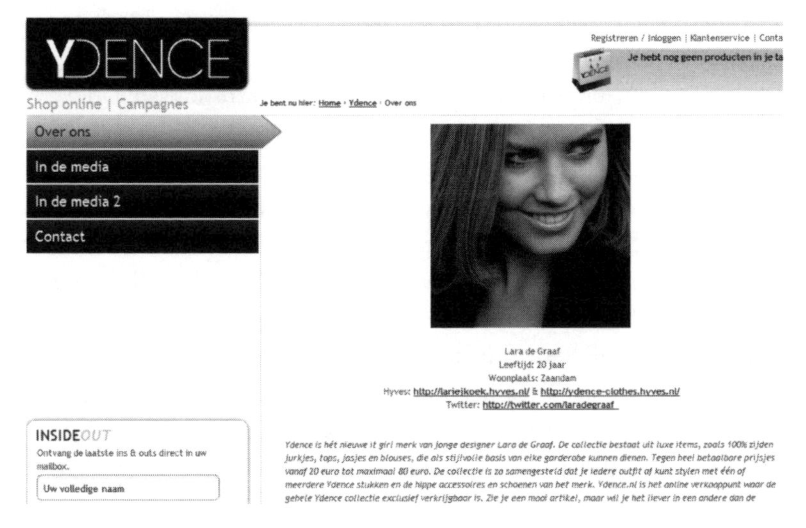

De 'Over ons'-pagina van www.ydence.nl

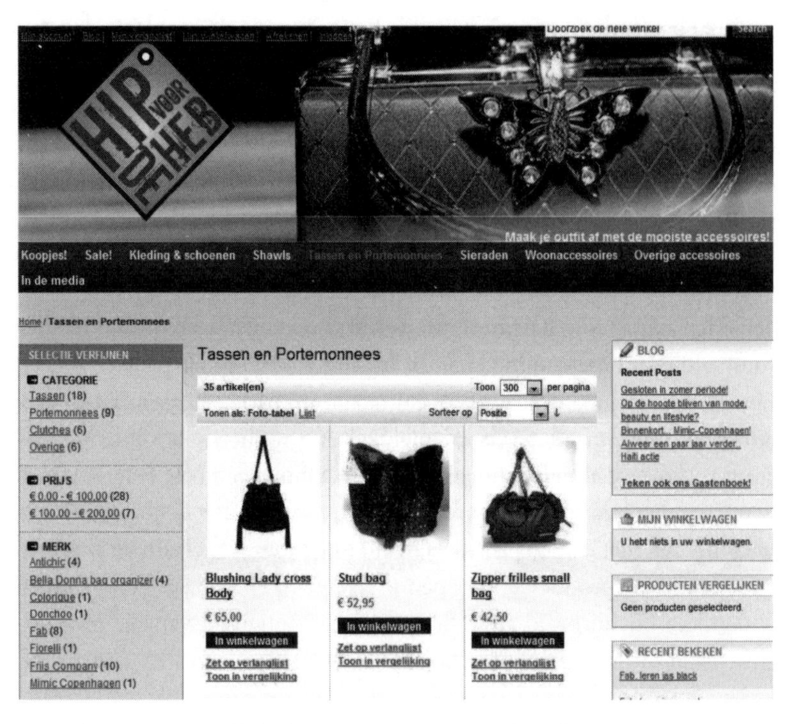

De indeling van Hipvoordeheb.nl in productgroepen en productsubgroepen

met veel producten per groep, dan kun je je bezoekers ook laten 'filteren' op een bepaald merk, een prijsklasse, een kleur of maat.

5 Uitgebreide informatie bij ieder afzonderlijk product

Heeft je bezoeker zijn of haar oog eenmaal laten vallen op een specifiek product en erop geklikt, dan moet de volgende pagina waar de bezoeker naartoe wordt geleid alle verwachtingen overstijgen. Daar moeten heel goede foto's** van het product te zien zijn, en alle belangrijke specificaties. Wat zijn de maten van het product, wat is het gewicht, het typenummer, waar is het gemaakt, van welk materiaal is het, is het breekbaar of kwetsbaar, kun je het wassen of in de vaatwasser stoppen et cetera. In de productomschrijving vertel je waar het product toe dient, wat je er allemaal mee kunt doen en hoe je het kunt onderhouden. Ook plaats je op deze pagina (indien mogelijk) kleinere afbeeldingen van andere artikelen in je webshop waarmee je het getoonde product kunt combineren.

6 Een digitale klantenservicebalie

Sommige webwinkels noemen deze pagina FAQ (Frequently Asked Questions) of Veelgestelde Vragen, anderen reppen van een Customer Lounge, maar het komt allemaal neer op een soort digitale klantenservicebalie. Een belangrijke pagina, waarop je vertelt hoe het bestelproces werkt, wat je levertijden zijn, met welke bezorgdienst(en) je werkt, hoe je omgaat met retourzendingen, met ruilingen en *refunds* (geld terugstorten). Het is goed om op deze pagina ook weer je contactgegevens te plaatsen. En e-mail adressen als service@... voor vragen over producten en levering, retour@... voor retourmeldingen, info@... voor algemene vragen en je-

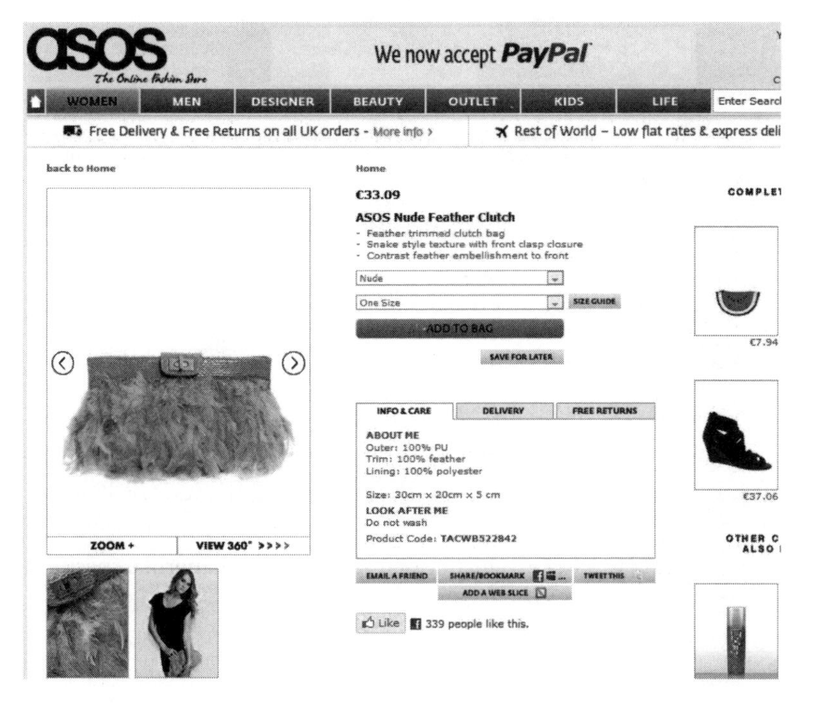

Asos.com-productpagina met meerdere foto's van het tasje, specificaties over het materiaal en de afmetingen en combineersuggesties

eigennaam@... voor vragen van de pers en business-to-businessvragen van bijvoorbeeld leveranciers. De klantenservicepagina is net als de 'Over ons'-pagina en de contactpagina zeer belangrijk voor het vertrouwen van de consument, Helemaal als je je klanten vraagt om een account aan te maken op je site. Of om lid te worden van een nieuwsbrief. Zij moeten dan bepaalde gegevens achterlaten, waar jij heel discreet mee om moet gaan. Op de klantenservicepagina kun je mooi uitleggen hoe het zit met de privacy van je bezoekers, voor welke doelen je hun gegevens gebruikt en wat je eraan doet om de gegevens te beschermen.

7 Een contactpagina

Veel internetshoppers die een webwinkel voor het eerst bezoeken, kijken voor het winkelen snel naar de contactpagina met de volgende gedach-

Kleertjes.com heeft haar klantenservice goed voor elkaar en heeft wel vier pagina's met duidelijke informatie over bestellen, retouren en privacy.

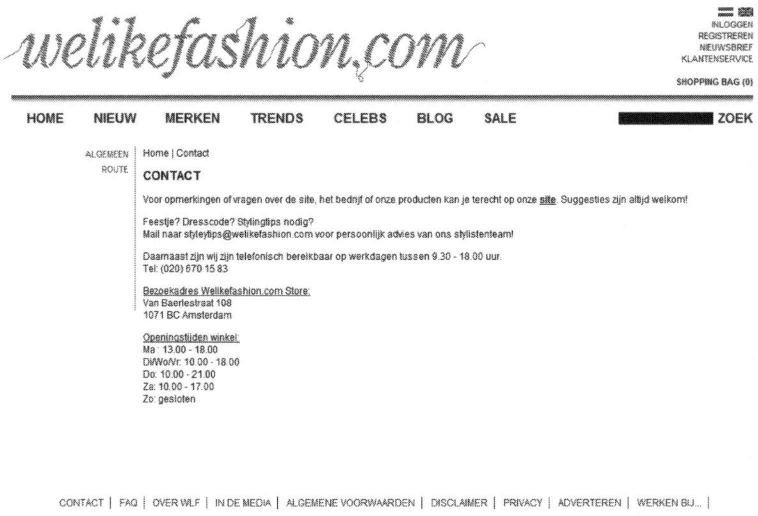

welikefashion.com

INLOGGEN
REGISTREREN
NIEUWSBRIEF
KLANTENSERVICE

SHOPPING BAG (0)

HOME NIEUW MERKEN TRENDS CELEBS BLOG SALE ZOEK

ALGEMEEN
ROUTE

Home | Contact

CONTACT

Voor opmerkingen of vragen over de site, het bedrijf of onze producten kan je terecht op onze site. Suggesties zijn altijd welkom!

Feestje? Dresscode? Stylingtips nodig?
Mail naar styleytips@welikefashion.com voor persoonlijk advies van ons stylistenteam!

Daarnaast zijn wij zijn telefonisch bereikbaar op werkdagen tussen 9.30 - 18.00 uur.
Tel: (020) 670 15 83

Bezoekadres Welikefashion.com Store:
Van Baerlestraat 108
1071 BC Amsterdam

Openingstijden winkel:
Ma : 13.00 - 18.00
Di/Wo/Vr: 10.00 - 18.00
Do: 10.00 - 21.00
Za: 10.00 - 17.00
Zo: gesloten

CONTACT | FAQ | OVER WLF | IN DE MEDIA | ALGEMENE VOORWAARDEN | DISCLAIMER | PRIVACY | ADVERTEREN | WERKEN BIJ... |

Een goede contactpagina bij Welikefashion.com

ten: Kan ik bellen als er iets niet goed gaat? Wat is het postadres voor retourzending? Staan er persoonsnamen bij? Op je contactpagina zet je de NAW-gegevens van je bedrijf, telefoonnummers en e-mailadressen. Ook vermeld je er de tijden waarop je telefonisch bereikbaar bent. Let op: neem je een postbus omdat je geen bergen zakelijke post op je thuisadres wilt ontvangen? Dat kan ik me voorstellen, maar plaats in ieder geval ook een fysiek adres voor bijvoorbeeld retourzendingen. Het wekt weinig vertrouwen als er op je site alleen een postbusnummer en een mobiel nummer staan. Ja, het is ook beter om ook een vast telefoonnummer te vermelden. Voor wie nu denkt: ja, maar dan gaan er dus allerlei mensen bellen en dan heb ik veel werk, dát klopt. Je volstaat niet met een contactformulier dat uitstraalt: laat hier je gegevens achter en als ik zin heb bel of mail ik je terug. Grote kans dat mensen dat risico niet willen lopen en precies hetzelfde product aanschaffen bij een webwinkelier die wel de moeite neemt om bereikbaar te zijn.

8 Een heldere accountpagina

Vraag je jouw klanten om een account bij je webwinkel aan te maken (zeer zeker een aanrader), dan moet je daar een pagina voor aanmaken waarop klanten dit heel makkelijk zelf kunnen doen. Zorg voor een goed werkend formulier en vraag niet te veel gegevens. Naam, adres, factuuradres, woonplaats, e-mailadres en telefoonnummer zijn voldoende. Klanten moeten deze gegevens ook weer makkelijk kunnen wijzigen of weghalen.

9 Een 'Mijn account'-pagina

Op deze pagina moeten klanten bij elk bezoek kunnen zien wat er allemaal van hen bekend is bij jouw webwinkel. Ook moeten ze kunnen zien wat er op dat moment in hun winkelmandje zit en er producten uit kunnen halen. Er kan staan welke bestelling(en) er onderweg zijn, dus wat de status van een order is. Ook is het prettig voor de klant als je er neerzet welke bestellingen er eerder zijn gedaan.

10 Een digitaal winkelmandje

Elke webshop moet een goed digitaal winkelmandje (laten) bouwen. Het icoontje van het winkelmandje, of de *shopping bag* of *shopping cart* zoals

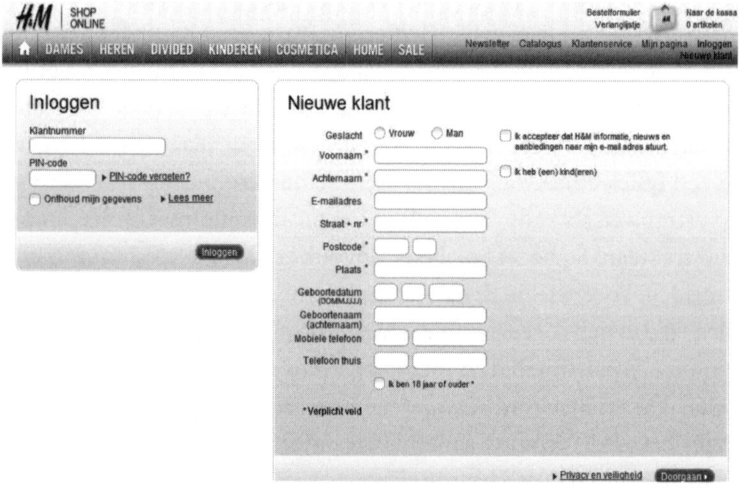

Een account aanmaken bij de webwinkel van H&M

deze ook wel wordt genoemd, dient op elke webpagina van je webshop zichtbaar te zijn. Ook moet erbij staan voor welk bedrag er op dat moment artikelen in het mandje zitten. Het mandje is in werkelijkheid een pagina waarop je een lijst toont van alle artikelen die de klant als bestelling heeft aangeklikt. Zorg dat die lijst er niet alleen heel overzichtelijk, maar ook mooi uitziet. Tiffany's opende onlangs haar nieuwe webwinkel en zoals het een juwelenhuis betaamt, ziet alles er even chic uit. Zo ook het winkelmandje. En de prijzen.

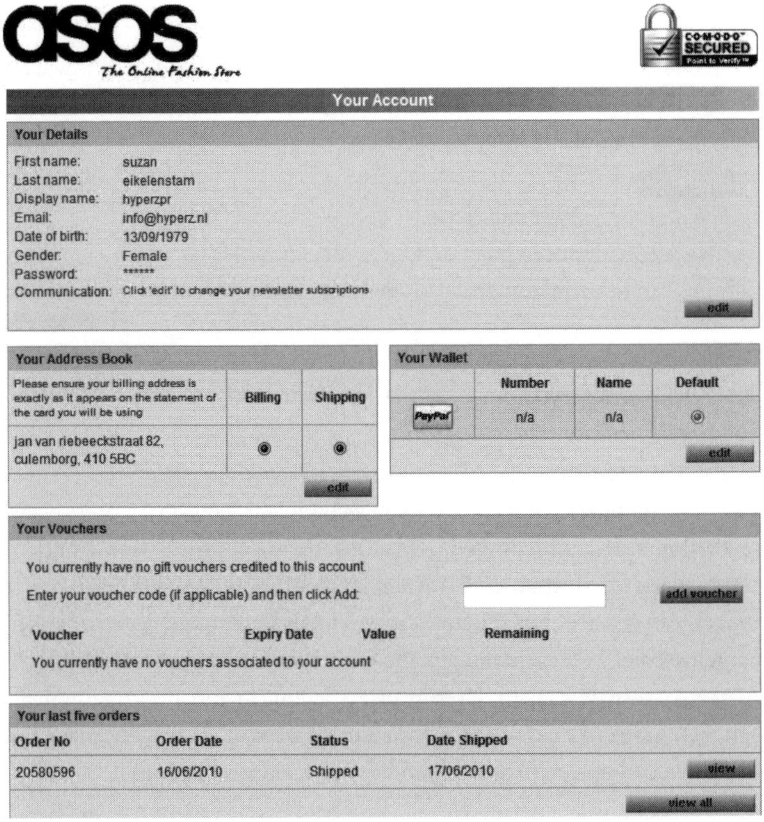

asos
The Online Fashion Store

COMODO SECURED
Point to Verify

Your Account

Your Details

First name:	suzan
Last name:	eikelenstam
Display name:	hyperzpr
Email:	info@hyperz.nl
Date of birth:	13/09/1979
Gender:	Female
Password:	******
Communication:	Click 'edit' to change your newsletter subscriptions

edit

Your Address Book

Please ensure your billing address is exactly as it appears on the statement of the card you will be using	Billing	Shipping
jan van riebeeckstraat 82, culemborg, 410 5BC	◉	◉

edit

Your Wallet

	Number	Name	Default
PayPal	n/a	n/a	◉

edit

Your Vouchers

You currently have no gift vouchers credited to this account.

Enter your voucher code (if applicable) and then click Add: add voucher

Voucher	Expiry Date	Value	Remaining

You currently have no vouchers associated to your account

Your last five orders

Order No	Order Date	Status	Date Shipped	
20580596	16/06/2010	Shipped	17/06/2010	view

view all

Een account bij ASOS

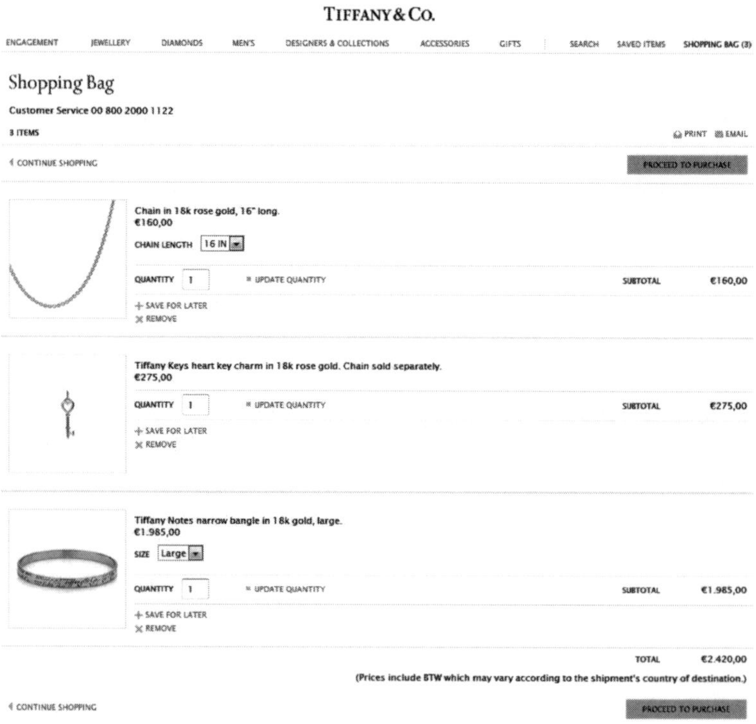

TIFFANY & CO.

ENGAGEMENT JEWELLERY DIAMONDS MEN'S DESIGNERS & COLLECTIONS ACCESSORIES GIFTS SEARCH SAVED ITEMS SHOPPING BAG (3)

Shopping Bag

Customer Service 00 800 2000 1122

3 ITEMS

PRINT EMAIL

CONTINUE SHOPPING

PROCEED TO PURCHASE

Chain in 18k rose gold, 16" long.
€160,00

CHAIN LENGTH 16 IN

QUANTITY 1 UPDATE QUANTITY SUBTOTAL €160,00

+ SAVE FOR LATER
X REMOVE

Tiffany Keys heart key charm in 18k rose gold. Chain sold separately.
€275,00

QUANTITY 1 UPDATE QUANTITY SUBTOTAL €275,00

+ SAVE FOR LATER
X REMOVE

Tiffany Notes narrow bangle in 18k gold, large.
€1.985,00

SIZE Large

QUANTITY 1 UPDATE QUANTITY SUBTOTAL €1.985,00

+ SAVE FOR LATER
X REMOVE

TOTAL €2.420,00

(Prices include BTW which may vary according to the shipment's country of destination.)

CONTINUE SHOPPING

PROCEED TO PURCHASE

Het winkelmandje bij Tiffany & Co

11 *Een nieuwsbrief*

Het regelmatig versturen van je eigen webwinkelnieuwsbrief, met speciale kortlopende aanbiedingen, winacties, thema's, productinformatie et cetera is een van dé manieren om aan klantenbinding te doen. Bij het aanmaken van een account moeten klanten reeds op kunnen geven of ze ook je nieuwsbrief willen ontvangen, maar het is ook aan te raden er een aparte pagina voor te maken. Hierop plaats je enkele voorbeeldnieuwsbrieven, een mogelijkheid om je ervoor aan en weer af te melden, maar ook het antwoord op een prijsvraag en bijvoorbeeld winnaressen.

Bouwen. Zelf doen of laten doen?

Nu je weet wat je zelf goed vindt aan bepaalde webwinkels en wat er simpelweg in jouw webwinkel móét zitten, wordt het echt tijd om te gaan bouwen. Er zijn verschrikkelijk veel manieren om aan een goede webwinkel te komen. Hiervoor wordt van alles aangeboden. Verschillende soorten software, boeken en websites met informatie, honderden bureautjes en freelancers die hun diensten aanbieden en onlineplatformen waarop je, zonder daarvoor technische kennis nodig te hebben, zelf in een paar eenvoudige stappen en zelfs gratis (!) je webshop kunt maken.

Marktaanbod-top 3

Zoals gezegd biedt de markt een groot aantal mogelijkheden om een eigen webwinkel te (laten) bouwen. Hieronder worden de drie populairste uiteengezet.

1 Op maat bouwen

Wil je direct professioneel aan de slag, zelf alle touwtjes in handen houden en nooit horen dat iets wat jij wilt niet kan? Wil je een webwinkel die je oneindig kunt uitbouwen omdat je ooit een tweede Kleertjes.com, Bol.com of Asos.com wilt worden? Als je klein maar professioneel wilt beginnen, maar wel flinke groeiplannen hebt, dan is het een goed idee om jouw webwinkel helemaal op maat te laten maken. Kies je hiervoor, dan wordt alles, van begin tot eind, van de voorkant (die bezoekers zien) tot de achterkant (waarin jij werkt) vanuit het niets speciaal voor jouw bedrijf ontwikkeld.

Dat biedt een aantal fijne voordelen. Combineer je creativiteit en zakelijk inzicht met de oneindige mogelijkheden van het www én met slimme techniek en het resultaat is een werkelijk unieke webshop die niemand zomaar kan nabouwen. De bezoekers van je webshop zullen ook echt het verschil zien tussen jouw webwinkel en de duizenden webwinkels die met standaardpakketten zijn gemaakt en dus op elkaar lijken.

Ook met de veiligheid van zo'n op maat gemaakte webwinkel zit het wel redelijk snor, omdat alleen de technisch ontwikkelaar van je site (of jijzelf als jij die ontwikkelaar bent) de broncodes van de site kent. Je begrijpt dat je voor een dergelijke op maat gemaakte oplossing wel meer moet betalen dan voor standaardtechnologie die veel minder exclusief is. Heb je hier budget voor, dan is het een goede investering. Niet alleen voor nu bij de start van je onderneming, maar ook voor de langere termijn.

2 Gebruikmaken van een gratis open source-pakket

Er is nog een manier om je webwinkel enigszins op maat te laten maken en toch veel geld te besparen. Dat kan door gebruik te maken van open source-software. De makers van deze software, die je gewoon via het internet kunt downloaden, hebben de broncode voor iedereen toegankelijk gemaakt. Gratis. Met die broncode kunnen programmeurs aan de slag en zelf aanvullingen op de basissoftware maken. Extra functionaliteiten dus. Dat schijnt heel makkelijk te zijn en er is inmiddels dan ook al heel veel ontwikkeld op dit gebied. Met deze open source-software kan de programmeur van jouw webwinkel dus een basis leggen met wat er al beschikbaar is en je site verder zo programmeren dat deze precies aansluit op jouw wensen. Hiermee creëer je een semi op maat gemaakte webshop, waarbij je dus geen geld kwijt bent aan dure softwarelicenties.

Bij bedrijven die webwinkels bouwen, kun je vragen of zij programmeren met zelf ontwikkelde software, met open source-software of met allebei. Vraag dan ook naar het verschil tussen en de prijzen van beide. In principe zou het goedkoper moeten zijn als je webbouwer open source-software gebruikt, in de praktijk kan het echter zo zijn dat het installeren van deze software en de aanpassing ervan voor jouw specifieke webwinkel en het design daarvan best lang duurt. De webbouwer schrijft dan veel arbeidsuren, waardoor je toch nog diep in de buidel moet tasten. Ga je op zoek naar een webbouwer voor je webwinkel, zoek dan ervaren bedrijven of freelancers die in ieder geval de meest gangbare open source-software goed kennen en die dus minder moeite zullen hebben met de configuratie (aanpassing aan jouw wensen) ervan.

Veelgebruikte open source-software voor e-commercetoepassingen is die van Magento. Magento is op dit moment de populairste aanbieder om een aantal redenen: je kunt makkelijk upgraden naar nieuwere versies van de software, dus je kunt blijven vernieuwen en verbeteren zonder veel tijd te verliezen of kosten te maken. Daarnaast is het een schaalbaar platform, je kunt dus op elk gewenst moment uitbreiden zodat de techniek van je webwinkel met de groei van je onderneming meegaat en je niet ineens hoeft over te stappen op totaal andere software, wat duur en tijdrovend is. Ook vinden veel webwinkeleigenaren het contentmanagementsysteem van Magento erg gebruikersvriendelijk en prettig werken. Ook Prestashop en osCommerce zijn populair.

Op www.magentocommerce.com kun je zien hoe de homepage, productpagina's en het winkelmandje van een Magento-webwinkel eruitzien. Ook kun je er de achterkant van zo'n webshop zien, de kant waar jij als webwinkeleigenaar nog heel vaak naar zult kijken, een digitale omgeving waar je heel wat uurtjes in zult werken.

Op www.prestashop.com zie je mooie voorbeelden van webwinkels die met het Prestashop-systeem zijn gebouwd. Prestashop is nieuwer dan Magento, het bestaat pas twee jaar, dus is er online iets minder informatie over beschikbaar dan over Magento. Toch zijn Prestashop-winkels érg mooi en ogen ze moderner dan winkels met een Magento-uitstraling. Os-Commerce is ongeveer het oudste open source software pakket dat je

Een Prestashop-homepage

kunt gebruiken. Dit betekent dat het beproefde technologie betreft, en dat het dus allemaal goed werkt. De uitstraling van osCommerce-webwinkels is echter wat achterhaald. Op www.oscommerce.com vind je meer informatie.

En ook de productdetailpagina's van Prestashop zijn basic maar mooi.

Een helder productoverzicht van Prestashop

3 Gebruikmaken van kant-en-klare onlinesoftwarepakketten

Een derde optie voor het bouwen van je webwinkel is er eentje die op dit moment erg in populariteit toeneemt: een kant-en-klare webwinkel – die draait op standaard online-software – afnemen bij mijnWinkel.nl (de grootste), Mijnwebwinkel.nl of Biedmeerwebwinkels.nl. Dit is dan ook de goedkoopste en eenvoudigste optie, waarvoor je geen technische kennis hoeft te hebben en waarbij je ook niet in overleg hoeft met een programmeur of designer, want je doet alles zelf. Je hoeft ook niet meer na te denken over hosting, want: al geregeld. Design? Al geregeld. Afgezien van een eigen logo, afbeeldingen en een kleurselectie naar jouw smaak, hoef je in principe niets meer toe te voegen aan de standaardlay-out van een mijnWinkel-webwinkel. MijnWinkel biedt je een gratis proefabonnement van drie maanden aan, waarvoor je je op de site kunt inschrijven. In die drie maanden kun je kosteloos kijken of het wat voor je is. Zodra je je hebt ingeschreven voor dit proefabonnement, kun je aan de slag.

Bij het doen van research voor dit boek heb ik het gebruik van mijnWinkel getest door er een webwinkel mee te bouwen. Alle stappen die ik hierbij heb doorlopen en mijn bevindingen lees je hieronder. Vind je deze informatie voor nu wat te gedetailleerd, mijn 'gebruiksaanwijzing' zou je van pas kunnen komen als je zelf met mijnWinkel aan de slag gaat.

1 Op de homepage van mijnWinkel.nl klik ik op 'gratis uitproberen' en ik vul het registratieformulier in. Dat is zó gepiept, want veel hoeven ze niet van me te weten. Mijn bedrijfsnaam, NAW-gegevens, telefoonnummer en e-mailadres en een wachtwoord zijn genoeg. Ik accepteer de algemene voorwaarden en klik op 'ok'.

2 Bij stap 2 moet ik kiezen of ik een beginnerseditor wil, eentje voor webwinkeliers die al wat verder zijn of eentje voor echt gevorderde internetverkopers. Tja, ik ben een beginner, dus ik kies de makkelijkste editor en klik op 'doorgaan'.

3 Ik zie een scherm met links een menu met de knoppen 'welkom', 'help', 'pagina's', 'producten', 'bestelproces', 'advanced uit' en 'bestellingen/reviews'. In het midden van het scherm staat 'klik hier voor een nieuwe productlijst'. Ik zie op een tabblad bovenaan dat ik nu de eigenaar van winkel 1719100 ben. De onbenullige eigenaar, moet ik constateren, want ook als ik 5 minuten heel goed naar het scherm heb gekeken, snap ik niet wat ik nu moet doen. Er staat nergens 'doe nu dit' of 'klik hier om verder te gaan met het maken van je webwinkel'. Of 'volgende stap'. Mokkend dat ik er nu al niks meer van begrijp, klik ik op de reddingsboei

naast 'help'. Er opent zich een scherm met tientallen trefwoorden en links een aantal onderwerpen. Ik klik op 'webwinkel opzetten' en bij tip 1 wordt mij duidelijk gemaakt dat ik een Excel-bestand dien te maken met daarin de producten die ik wens te verkopen, en dat dit Excel-bestand daarna wordt omgetoverd in een productlijst. Aha!

4 Maar hoe moet ik dan dat Excel-bestand maken en aanleveren? Ik klik het 'help'-venster weer dicht en staar weer naar het beginscherm. Best lang. En ineens komt het in mij op om op 'klik hier om een nieuwe productlijst te maken' te drukken. Yes! Maar in een nieuw scherm staat alleen dat ik mijn Excel-bestand moet uploaden.
...
Gelukkig zie ik dat ik 'ook gerust mag experimenteren met ons Excel-voorbeeld'. Ik klik op de paarse letters en open 'Koffiedemo.xls'. Ik wil boeken, e-books en boekenleggers verkopen en geen espressoapparaten, maar ik zie nu wel hoe dat Excel-bestand is ingedeeld. Dus ik sla gewoon dat bestand op en ik stop er later mijn gegevens wel in, denk ik tijdens een tweede aha-erlebnis.

5 Nu ik koffiedemo.xls heb opgeslagen, kan ik die uploaden in het scherm dat mij blijft melden om dat vooral te doen, voor ik verder mag. Als ik het heb geüpload verschijnt er een nieuw scherm: 'Welkom in de wizard'. Ik lees het tekstje, constateer dat ik niks hoef te doen en klik op 'volgende'. Bij stap 1 zegt de tovenaar dat ik kolommen moet maken, maar dat begrijp ik niet, dus ik sla de stap even over en beland bij stap 2. Nou, dat gaat lekker, ik snap 2 en 2b ook niet. Maar ik heb goede hoop dat het bij stap 3 beter gaat en dat ik het later allemaal wel recht kan zetten. Eerst eens kijken hoe snel ik iets van mijn webbouwsel kan zien. Bij stap 3 wordt me gevraagd of ik een menu wil tonen. Ik heb in de vorige paragraaf iedereen op het hart gedrukt dat een webwinkel een menu en productgroepen móét hebben, dus ik selecteer 'ja, ik wil een menu' en ik vink 'productgroep' aan. En 'winkelwagen' want die is ook belangrijk. Ik druk op 'volgende' en geef voor het gemak aan dat mijn webwinkel (met de sexy naam 1719100) weinig producten heeft

en dat ik dus geen behoefte heb aan een zoekfunctie. Bij stap 5 vraagt de tovenaar welke kenmerken ik wil tonen in de productlijst. Ik vink er een paar aan en klik weer op 'volgende'. Nu heb ik er lekker de vaart in! Bij stap 6 kan ik regelen dat er bij elk artikel in mijn winkel een schermpje met meer informatie over dat artikel getoond kan worden. Dat wil ik, dus ik kies 'ja, ik wil meer infoschermen'. Bij 'kies titelveld' lijkt 'titel' me het meest logisch, dus ik kies die. De rest lijkt me wel gezegend, alleen 'afbeelding klein' zet ik uit, want die wordt al getoond bij de productlijst. Ik kom bij stap 7, waar me wordt gevraagd of ik bezoekers bij de 'meer info'-schermen ook nog keuzelijsten wil bieden, zodat ze hetzelfde product in een andere kleur kunnen bestellen, maar dat hoeft niet. Ik ga naar stap 8. Daar moet ik aangeven of ik bestelknoppen wil bij het 'meer info'-scherm en in de productlijst. Ja, want ik wil verkopen en dan is een bestelknop wel essentieel. Ik selecteer wat ik wil en klik op 'volgende'. Spannend, want er staat nu dat mijn productenlijst (de testlijst met de koffiezetapparaten) wordt geïmporteerd. En dan verschijnt er een knop met 'bekijk winkel'! Dit is wat ik zie.

Mijn eigen (lelijke) testkoffiewebwinkel is een feit!

In vijf niet helemaal voor de hand liggende stappen heb ik het begin gemaakt voor mijn testwebwinkel. De conclusie is dat mijnWinkel.nl inderdaad uitstekend geschikt is om helemaal zelfstandig en zonder hulp van een webbouwer een webwinkel te maken. Met het proefabonnement van drie maanden kun je het gratis proberen en daarna betaal je, in verhouding tot wat je aan een webbouwer plus een designer uitgeeft, betrekkelijk lage tarieven. Alle functionaliteiten waar je webwinkel mijns inziens niet zonder kan, kun je zelf installeren in een webwinkel van mijnWinkel. Ook is het heel leerzaam. Je gaat namelijk, door fouten te maken en die weer te herstellen, op een oorzaak-gevolgmanier begrijpen hoe de techniek werkt. Gelukkig heeft mijnWinkel.nl een goede supportdesk die snel reageert op een mailtje naar support@mijnwinkel.nl, want ik heb drie keer moeten mailen voor ik begreep hoe ik de achtergrondkleur van mijn webwinkel moest veranderen. Ik koos een van de standaard-'skins', verschillende voorgefabriceerde digitale jasjes waarin je je webwinkel kunt steken, in de kleurstelling magenta met grijs. Er was geen knop waarmee ik de kleurstelling kon aanpassen. Dat kon alleen in een zogeheten CSS-bestand dat de helpdesk mij moest mailen. Vervolgens moest ik zelf ergens een kleurcode vandaan zien te halen die correspondeerde met het door mij gewenste geel en die invoeren in een hele lap HTML-tekst. Nog twee hulpmailtjes later had ik mijn achtergrond zoals ik hem wilde.

Dus, is mijnWinkel makkelijk? Ja. Als je tevreden bent met alle standaardopties, dan kun jij (vast veel sneller dan ik) een werkende webwinkel in elkaar timmeren. Is mijnWinkel snel? Ligt eraan hoe je het bekijkt. Wil je bijvoorbeeld toch een ander kleurtje in een *skin*, of iets anders dat afwijkt van het standaard gebodene, dan word je vaste klant bij de supportdesk en kost het je meer tijd. Ook al reageert de vriendelijke helpdesk binnen een half uur op je vragen, het wordt toch een hele zit. Wie serieuze plannen heeft met haar webwinkel, heeft dat er graag voor over. Wie denkt dat het lijkt op het pimpen van je Hyves-pagina, komt van een koude kermis thuis. Door de bank genomen kan ik lezeressen met een klein budget, of lezeressen die eerst eens willen kijken of zij in de wieg gelegd zijn voor de e-commerce, van harte aanbevelen om deze optie voor het bouwen van een webwinkel zelf nader te onderzoeken.

INTERVIEW: Het zélf doen, volgens Durk Jan de Bruin

'Ik zou iedereen aanraden om internetondernemer te worden. Gewoon lekker op die zolderkamer beginnen. Het is heerlijk.' Durk Jan de Bruin is verantwoordelijk voor een van de grootste internetsuccessen die ons land ooit heeft gekend. Een van de eerste ook: Durk Jan begon zijn bedrijf Startpagina.nl in 1997. Toen hij de onderneming in 2000 verkocht aan uitgeversconcern VNU werd hij een van de eerste Nederlandse internetmiljonairs. Vandaag de dag is Durk Jan eigenaar van het eveneens door hem opgerichte mijnWinkel.nl, waarmee webwinkeliers zelf hun webshop kunnen bouwen door gebruik te maken van onlinesoftware. Op mijn vraag wat hij ervan vindt dat steeds meer vrouwen een eigen webwinkel beginnen, antwoordt hij enthousiast dat hij vrouwen ideale webwinkeliers vindt en dat hij ze het plezier van een internetonderneming gunt.

'Bij mijnWinkel merken we duidelijk dat het aantal vrouwelijke klanten steeds groter wordt. In 2007 was 42 procent van de nieuwbakken webwinkeliers die klant werden vrouw. Dit jaar zitten we op ruim 50 procent. Ik vind dat ook niet verwonderlijk. Als je een vrouw bent die parttime wil werken, of op afwijkende werktijden vanwege kinderen, dan is het ideaal om eigen baas te worden met een internetonderneming zoals een webwinkel. Je huis is je kantoor. Je bepaalt zelf alles, van je werktijden tot op wat voor stoel je zit en met welke computer je werkt. Heb je wel eens aan een baas moeten vragen of je een nieuwe stoel mocht? Grote kans dat hij nee zei, omdat-ie anders de hele afdeling een nieuwe stoel moest geven. Als internetondernemer creëer je thuis je ideale werkplek met een heel lekker zittende stoel. Het mooie van eigen baas zijn is ook dat je als je harder werkt, meer verdient. Maar het belangrijkste is de vrijheid. Pak je laptop en ga een paar dagen lekker werken vanaf een Waddeneiland.'

Durk Jan heeft niets met bazen of met medewerkers in vaste dienst. 'Bij Startpagina werkte ik met twee vrienden. Verder waren alle beheerders van de dochtersites zelfstandigen. Ook bij mijnWinkel.nl werkt geen van de medewerkers in loondienst. Het zijn allemaal freelancers, zelfstandigen zonder personeel die zelf hun werkplek en werktijden mogen uitkiezen. En omdat ze zelf voor hun inkomsten moeten zorgen, zijn ze altijd gemotiveerd. Het is ook geen enorm bedrijf, ik heb een team van twintig mensen, van wie ongeveer de helft in het buitenland zit. Ik hou van kleine teams omdat het ook een vriendgevoel geeft. Als je kijkt naar de grote internetsuccessen van de laatste jaren, dan waren dat allemaal kleine bedrijfjes, zoals Hyves en YouTube. Allebei zijn ze klein gestart op dat zolderkamertje. Door de enorme flexibiliteit van een kleine internetonderneming heb je daarmee veel betere kansen dan kolossale bedrijven die zo vastzitten in hun stramienen dat ze te traag zijn voor succesvol internetondernemen.

Iens.nl vind ik een mooi voorbeeld van een vrouw die klein is begonnen maar heel groot is gegroeid. Ook heel sterk dat de domeinnaam de echte voornaam van oprichtster Iens Boswijk is.'

Met lego spelen

Oké, Durk Jan voorziet dus grote kansen voor ons vrouwen op het internet, maar wij denken nog niet aan een internetsucces als dat van Google. We willen ergens beginnen in de e-commerce en zo snel mogelijk starten. Hoe past mijnWinkel.nl daar volgens De Bruin in? 'Het is net lego; een simpel bouwpakket. Naast mijnWinkel.nl bestaan de legosteentjes uit een onlinebetaalprovider, een statistiekenpakket, een boekhoudpakket, een lay-out et cetera. Je bouwt er een webwinkel mee en als het nodig is vervang je af en toe een steentje of bouw je er wat bij. Met mijnWinkel.nl kun je zelfs meerdere onlinespeciaalzaken bouwen die onder één hoofdwebwinkel vallen.'

Echt een jongensvoorbeeld, die legometafoor, maar het maakt Durk Jans opzet van mijnWinkel wel inzichtelijk. Hij raadt trouwens sterk aan om het internetondernemen overzichtelijk te houden. 'Ik geloof er heilig in dat je op het internet, waarop zoveel wordt aangeboden, veel beter één ding verschrikkelijk goed kunt doen dan veel verschillende dingen half. Dus, ga je een webwinkel beginnen, kies dan een niche. Zo hebben we een klant die alleen hardlooprokjes verkoopt op Hardlooprokjes.nl. In de sportwereld is dat redelijk apart, flatteuze rokjes in plaats van lelijke, te strakke broekjes, dus die vrouw valt enorm op met haar nichewebwinkel. Ze stond in verschillende bladen, zag ik. De kunst is om je omzet uit meerdere webwinkels te halen. Zo kun je iedere webwinkel een specialist laten zijn die goed gevonden wordt bij Google. Alle bestellingen, de handling en administratie daarvan laat je via je hoofdwebwinkel verlopen. Dat scheelt een hoop administratie.'

'Regeren is vooruitzien'

Durk Jan legt uit dat mijnWinkel.nl dan wel helpt met alle aspecten van het bouwen van de ideale webwinkel, maar dat sommige startende webwinkeliers zich toch vergissen in wat er allemaal bij komt kijken.'Regeren is vooruitzien. Veel mensen houden bijvoorbeeld geen rekening met noodzakelijke groei. Op een gegeven moment moet er een verschil komen tussen het ondernemen voor de hobby, wat veel beginners doen, en echt succesvol ondernemen. Dat laatste houdt in dat je er echt wat aan over gaat houden. Nou, daarvoor moet je groter gaan denken en die groei moet je faciliteren in je webshop. MijnWinkel.nl biedt je daarvoor alle functionaliteiten, je kunt upgraden naar ons meest uitgebreide systeem, de 'professionalwebwinkel'. Maar wij kunnen je niet vertellen wanneer dat juiste moment zich voor jouw onderneming aandient. Dat moet je zelf aanvoelen. Gaandeweg kom je allerlei zaken tegen waarop je snel en handig moet inspelen. Heb je bijvoorbeeld een fysieke winkel en begin je daarnaast een bijpassende webwinkel? Dan kom je er al vrij gauw achter dat het enorm veel werk is om beide systemen goed op orde te hebben. Wij bieden wel een mogelijkheid om je fysieke kassa automatisch te koppelen aan je webwinkel, zodat als je iets verkoopt in de fysieke winkel het niet meer online verkocht kan worden. Als tips zou ik mee willen geven dat het goed is om in je winkelsysteem acties te faciliteren, zoals 3 halen 2 betalen, kortingscodes en een aparte inlogmogelijkheid voor vaste klanten.'

'Je hebt niets te verliezen!'

Ik vraag Durk Jan wat zijn belangrijkste tip is voor de lezeressen van *Internetgodinnen*. 'Die is heel eenvoudig,' lacht hij. 'Gewoon vandaag beginnen. Bij twijfel, doe het toch. Het zal wel tijd kosten om te leren hoe online ondernemen werkt, maar de markt floreert nog steeds enorm, ik merk dat zelf ook. Vorig jaar groeide onze omzet met 32 procent ten opzichte van 2008. Ik weet ook nu al zeker dat ik ultimo 2010 kan melden dat we wederom tussen de 30 en 40 procent zijn gegroeid. De totale e-commercemarkt groeit nog wel een tijdje door. Dus is nú een uitstekend moment om te beginnen. Je hebt ook niets te verliezen, behalve een beetje van je tijd. Het hoeft je dus niet gelijk bakken met geld te kosten. Wij bieden je een gratis proefabonnement van drie maanden, dat vanzelf afloopt, zonder voorbehoud. En voor jouw lezeressen wil ik met mijnWinkel.nl ook nog wel iets extra's doen: zij die hun proefabonnement willen omzetten in een betaald abonnement, krijgen via www.internetgodinnen.nl/mijnwinkel/ een korting van 25 procent. Hoe vind je dat?'

Lees meer over Durk Jans aanbod in hoofdstuk 10 en op www.internetgodinnen.nl/mijnwinkel.

INTERVIEW: **Lara de Graaf: 'Ik wil dat mensen mijn webwinkel onthouden.'**
De eigenares van Ydence.nl liet haar webwinkel van a tot z op maat maken door een webbouwer die tevens het design verzorgde. 'Een vrij intensieve samenwerking, waar ik heel wat uurtjes in heb zitten, maar ik vind het meer dan de moeite waard. Ik heb een eigen kledingmerk ontwikkeld! Een betaalbare confectielijn met luxe jurkjes, tops, schoenen en accessoires met een heel eigen uitstraling. De webshop waarin ik die collectie verkoop, moet dan ook de enige in zijn soort zijn. Ik ga niet zo mijn best doen om onderscheidend te zijn met mijn modelijn, om deze vervolgens in een dertien-in-een-dozijnwebwinkeltje aan te bieden. Ik ben ambitieus en werk hard om ervoor te zorgen dat mensen mijn merk én de onlineshop onthouden.'

Maatwerk en tóch betaalbaar
Lara investeerde aardig wat tijd in het opsporen van een bedrijf dat de bouw en het ontwerp van haar webwinkel kon verzorgen, tegen een redelijke prijs. 'Ik studeer nog. Het geld dat ik met mijn bijbaantje bij elkaar had gespaard, vormde mijn budget. Je begrijpt dat ik dus geen tienduizenden euro's kon investeren. Door me helemaal suf te Googelen en door offertes bij verschillende bedrijven op te vragen heb ik enorm kunnen besparen. Als je niet goed zoekt, kan ik me voorstellen dat je de hoop snel opgeeft, want ik kreeg offertes van bedrijven die tussen de 10.000 en 25.000 euro vroegen.

Daarvoor heb je dan – denk ik – in één klap een prachtige webshop, gemaakt door een bedrijf dat een paar medewerkers, een pand, inventaris et cetera moet bekostigen om een flink aantal klanten tegelijk te bedienen. Ik heb gezocht naar een goede freelancer, die vanuit huis of een klein eigen kantoortje werkt en die door lage overhead ook lagere tarieven hanteert.

Mijn eisen waren nog wel behoorlijk. Ik wilde de bouw en het design op één adres laten uitvoeren, bij mij in de buurt. En ik had zelf heel helder voor ogen hoe het er allemaal uit moest gaan zien, dus ik wilde geen designer met een groot ego die zijn eigen zin door probeert te drukken. Ook wilde ik een contentmanagementsysteem waarin ik makkelijk alles kan doen wat er in me opkomt, en het ook weer zelf weg kan halen als het niet bevalt.' De jonge modeontwerpster vond uiteindelijk een klein bedrijfje dat een eigen contentmanagementsysteem heeft ontwikkeld. Toen ze dit eens mocht bekijken en toen bleek dat de programmeur ook kon ontwerpen, ging Lara overstag. 'Ik kreeg een goede offerte en het contact was ook heel prettig. Ik kon mijn geluk niet op, want dit betekende mijn start.'

De homepage van www.ydence.nl

'Als je iets wilt, moet je er zelf om vragen'

Al met al is ze een jaar bezig geweest om haar webshop zo te laten draaien dat het echt een goedlopende business werd. Lara: 'Op een gegeven moment heb je in principe wel een webshop die werkt, maar dan is het nog niet helemaal naar je zin. Het hoeft niet voor iedereen een jaar te duren, denk ik, maar ik was deze tijd wel kwijt omdat ik én de productie van mijn collectie moest aansturen én mijn websiteontwikkelaar. Ik heb me met alles bemoeid. Zo heb ik bijvoorbeeld ook zelf campagnefoto's van mijn collectie laten maken. Ik huurde een fotograaf en modellen in en fungeerde zelf als stylist bij de fotoshoots. De beelden die dit heeft opgeleverd, zijn heel bepalend in de totale uitstraling van mijn webwinkel. Ik leverde mijn webbouwer dus foto's aan en dan moest hij er in overleg met mij voor zorgen dat het ontwerp van de site qua kleurstelling en sfeer bij de foto's paste. Natuurlijk was het niet altijd in één keer goed. Mensen die iets voor je maken, hebben soms meerdere aanwijzingen nodig. Zij kunnen immers niet ruiken wat je wilt. Je moet erom vragen.

Ik heb het nooit erg gevonden dat er veel tijd in ging zitten, ik vond het immers heel leuk om te doen en heb het niet als werk gezien. In de tussentijd had ik een, zij het karig, inkomen uit mijn bijbaantje, dus ik heb alle tijd genomen om zowel mijn merk Ydence als de webshop een goede start te geven. Voor mij is het allemaal betaalbaar gebleven omdat ik ervoor koos om op een gegeven moment te starten en de rest gaandeweg aan te passen. Toen ik voldoende artikelen uit mijn collectie in voorraad had en de webshop er goed genoeg uitzag en alles werkte, begon ik. Alle omzet stak ik direct weer in verbeteringen. En zo werk ik nog. Ik ben er heel tevreden mee.' Op de vraag waarmee ze het gelukkigst is antwoordt ze: 'Met het contentmanagementsysteem eXcms. Want daar moet ik elke dag mee werken en ik prijs me gelukkig dat ik het redelijk makkelijk begrijp. De nieuwsbrieffeature die erin zit is echt super. Ik maak er mooie mailings mee waar ik leuke reacties op krijg van mijn klanten. En daar doe ik het allemaal voor.'

Wat deden zij?

Alle internetgodinnen in dit boek zijn ooit begonnen, sommige nog maar (een paar) jaar geleden! Zij moesten ook keuzes maken voor de bouw en het ontwerp van hun webshop. Ik vroeg hen er kort naar.

Vertel eens, zelf doen of laten doen?

Fleur Kriegsman, Hipvoordeheb.nl: 'Ik ben begonnen met een gratis webshop van Mijnwebwinkel.nl. Dat beviel me prima. Ik was destijds 16 en had geen geld. Toen ik meer ging omzetten en mijn bedrijf ging groeien, had ik behoefte aan een op maat gemaakte winkel. Ik vond een programmeur en designer, die op basis van Magento de webwinkel bouwde waar ik nu goed mee draai.'

Paulien Goes, Simplybecause.nl: 'Ik was onder de indruk van de mogelijkheden van mijnWinkel en heb een betaald abonnement genomen op de meest professionele variant van mijnWinkel. Vervolgens heb ik een bevriende designer en iemand die kan programmeren me laten helpen met het maken van op maat gemaakte functionaliteiten, zoals een filmpje waarin ik bezoekers zelf iets over mijn concept vertel.'

Simone van Trojen, LaDress.com: 'Ik heb Marianne van Leeuwen en haar bureau Sisteract ingeschakeld om LaDress.com helemaal op maat te laten ontwikkelen. Ik ga voor perfectie.'

Claudia Willemsen, Kleertjes.com: 'Twee woorden: professioneel maatwerk. Wij ontwikkelen de site hier helemaal zelf. Dat heb ik vanaf het begin gedaan. Ik wist zelf ook het een en ander van de techniek en ik ben er nog altijd van overtuigd dat het feit dat we hier alles zelf bouwen een van de grootste drijvende krachten van mijn bedrijf is.'

Winkel klaar? Vakken vullen!

Wie een eigen handelsonderneming gaat beginnen, het papierwerk regelt, een pand (ver)bouwt en handelswaar inslaat, kan natuurlijk niet wachten om feestelijk de poorten te openen en het koopgrage publiek te verwelkomen. Hetzelfde geldt voor de eigenares van een webshop. Weken heb je nagedacht, plannen gemaakt en weer gewijzigd, je hebt ontworpen en gebouwd en dan opeens is hij er: je eigen webwinkel. Nu nog even inrichten en draaien maar, denk je. Het inrichten van een webshop kan echter langer duren dan het inrichten van een fysieke winkel. Een webshop heeft bepaalde voordelen ten opzichte van een fysieke winkel. Zo ben je onbeperkt geopend, bereik je meer mensen, kun je mensen van over de hele wereld bedienen en heb je relatief lage overheadkosten. Maar webwinkels kennen allemaal in ieder geval één nadeel ten opzichte van fysieke winkels: de presentatie van producten uit het assortiment is en blijft tweedimensionaal. De eerste computer met reuk-, proef- en tastfunctionaliteiten moet nog worden uitgevonden. Ook al verkoop je de exclusiefste producten en smijt je er bakken met geld tegenaan om je webwinkel zo mooi en functioneel mogelijk te laten zijn, die goedkope Turkse groenteboer bij jou op de hoek heeft een betere presentatie van zijn assortiment. Je kunt in het fruit knijpen om te kijken of het goed is en vaak mag je alles proeven, ook zonder iets te kopen. Als webwinkelier krijg je dát nooit voor elkaar.

Met het voorgaande wil ik niet zeggen dat je als webwinkelier qua presentatie kansloos bent ten opzichte van een winkelier in de stad. In het geheel niet! Er zijn namelijk veel mogelijkheden om het tastbare display van de fysieke winkelhouder bijna te evenaren. En met alle andere fantastische eigenschappen van jouw webwinkel streef je hem met glans voorbij. Maar waar de biologische supermarkt alleen maar hoeft na te denken over het plaatsen van de rijst naast de kokosmelk en het gemberpoeder en af en toe een leuk actiedisplay van een bepaald merk, moet jij als webwinkelier veel meer aandacht besteden aan het vakken vullen.

Om je koopwaar zo goed mogelijk te presenteren maak je gebruik van digitale fotografie, digitale filmpjes en collages, teksten en specificaties. Dat heet content, 'inhoud'. We gaan nu dus de vakken van je webwinkel vullen met content. Daarvoor gaan we eerst kijken wat je al hebt en wat je nog moet verzorgen.

Fotografie, filmpjes en collages

Het is goed mogelijk dat je bij het inkopen van producten ondersteunende materialen hebt gekregen om de verkoop te bevorderen. Zeker de bekendere fabrikanten en grote merken hebben de beschikking over goede productfoto's en lijsten met productspecificaties die je zo op een cd of USB-stick kunt krijgen. Zat er geen gegevensdrager met dergelijke content bij de afgeleverde inkooporder? Kijk dan nog eens op de website van de fabrikant, het merk of de agentuur waar je hebt ingekocht om te kijken of je de content misschien bij hen kunt downloaden. Zo niet, neem dan contact op en vraag ernaar. Probeer op deze manier zo veel mogelijk content te verzamelen. Is er geen kant-en-klare content beschikbaar, of is de kwaliteit ervan onvoldoende? Dan ga je zelf zorgen voor goede foto's (het belangrijkst) en eventueel voor filmpjes en collages.

Met goede productfoto's bedoel ik digitale foto's gemaakt met een goede digitale camera, zodat de resolutie van de foto's hoog genoeg is om goed te kunnen inzoomen op het product zonder scherpteverlies, omdat bezoekers graag een product van zo dichtbij mogelijk willen bekijken. Zitten er geen krassen op die mooie koperen gesp? Van welke stof is dat colbert gemaakt? Welk merkje staat er op de lens van die videocamera? Hoe beter een potentiële koper het product kan beoordelen, hoe meer hij jou als verkoper vertrouwt en des te eerder hij overgaat tot aankoop. Maak foto's van alle kanten van het product en van de mooiste details ervan. Verkoop je kleding in je webshop, dan is het verstandig om niet alleen simpele vrijstaande foto's van een jurkje te plaatsen, maar ook foto's van datzelfde jurkje gedragen door een model. Dan kunnen bezoekers goed zien hoe het jurkje nu echt valt. Heb je niet de beschikking over een fotomodel, je kunt ook iemand uit je omgeving met een gemiddeld maar goed geproportioneerd figuur vragen om model te staan. Omdat het om de kleding gaat en niet om het gezicht van je model, wordt de foto vaak bij de hals 'afgeknipt'.

Bij het maken van de foto's is het verstandig om op het volgende te letten: de achtergrond en de belichting. Je kunt wel nagaan dat het niet erg fraai en vrij onprofessioneel oogt als de bezoeker achter die leuke tas van 200 euro een muur met afgebladderde verf of vergeeld bloemetjesbehang en een stopcontact ziet. Of als je een spiegel hebt gefotografeerd in je pyjama en de bezoeker ziet nog een heel onsmakelijk stukje van jou in die spiegel. Of een grote witte bol omdat je de flitser aan had staan.

Presenteer het product zo mooi mogelijk én 'natuurgetrouw'

Door schaduwen kan de vorm van een product ineens heel anders lijken dan in werkelijkheid en door overbelichting gaan kleuren verloren. Wil je de mooiste kwaliteit productfoto's zonder hier zelf te veel tijd aan te besteden, boek dan een professionele fotograaf die ervaring heeft met productfotografie. Ga je zelf aan de slag? Zorg voor een goede digitale camera; voor ongeveer 300 euro heb je een semiprofessioneel fototoestel dat haarscherpe foto's maakt.

Dan de belichting: test de flitser uit. Sommige producten kun je, als je niet over een fotostudio beschikt, echt alleen bij veel daglicht fotograferen omdat de flitser afbreuk doet aan de duidelijkheid van de foto, bijvoorbeeld producten die weerspiegelen. Er zijn speciale losse flitsers te koop die je zo op je camera kunt vastklikken en waarmee je een zachtere belichting en dus een betere kleurweergave kunt creëren.

Vrijstaande beelden

Met een goede camera en flitser ben je er nog niet; je moet ook nadenken over hoe mooi de door jou gemaakte foto's bij de rest van het ontwerp van je site passen. Veel mensen vinden een blanco, witte achtergrond het mooiste voor productfoto's. Dat is niet zo vreemd, want op een witte lege achtergrond komen de meeste producten het duidelijkst uit de verf. Om dit te bereiken moet je 'vrijstaand' fotograferen. Dat betekent zonder dat je nog de tafel ziet waar het product op ligt of de hanger waar het jurkje aan hangt. Vrijstaand fotograferen is mogelijk door gebruik te maken van speciale materialen of door trucjes toe te passen. Zo kun je een *fotocube* aanschaffen, dat is een witte tent met naar keuze een zwarte of witte ondergrond waarop je het product kunt plaatsen. Je fotografeert het product in de tent en zo heb je vrijstaand beeld. Zo'n tent kost tussen de 30 en 150 euro, afhankelijk van de afmetingen die je nodig hebt. Heb je geen zin om hier geld aan uit te geven: als je een witte badkuip hebt kun je je producten hierin leggen en fotograferen. Let dan wel op de flitser, want badkuipen glimmen.

Wil je je helemaal niet druk hoeven maken om het vrijstaand schieten van de foto's, ook achteraf kun je nog veel doen! Met een bewerkingsprogramma als Photoshop bijvoorbeeld, kun je overbelichting corrigeren, stofplukjes verwijderen et cetera. En als je goed kunt fotoshoppen, kun je de beelden ook zelf vrijstaand maken.

Heb je geen goede software, dan kun je het vrijstaand maken van productfoto's ook uitbesteden. Er zijn verschillende onlinebedrijven waar je tegen betaling van een redelijk tarief al je beelden vrijstaand kunt laten maken.

www.vrijstaandmaken.nl
www.studio-online.nl
www.vrijstaandefoto.nl

Bewegend beeld zegt meer dan duizend woorden

Verkoop je producten waarbij het handig is om een demonstratie van het gebruik te tonen, werd jouw zelf opgezette kledinglijn in een televisieserie gebruikt of is er een BN'er die fungeert als model voor het sieradenmerk dat jij verkoopt, dan heb je reden voldoende om bij je producten ook een digitaal filmpje te plaatsen. Niets is overtuigender dan bewegend beeld. In een catwalkvideo kun je beter zien hoe een jurkje zit als het wordt gedragen dan op een foto. Denk je dat het iets toevoegt, zorg dan voor filmmateriaal in minimaal YouTube-kwaliteit en zet het online bij het desbetreffende product. Laat de bezoeker wel zelf kiezen of hij het filmpje wil bekijken. Niet direct laten afspelen als er op de productpagina wordt geklikt, want sommige mensen hebben nog geen snelle internetverbinding en het laden van de productpagina kan dan zo lang duren dat de bezoekers weg zijn nog voor zij ook maar iets hebben gezien. Ben je van plan veel filmpjes te gaan gebruiken, check dan even met je hostingprovider of je hiervoor voldoende ruimte hebt, of dat je misschien moet upgraden naar een iets duurder pakket. Voorkom in elk geval te allen tijde dat je site traag wordt!

Sfeer bouwen

Het ligt een beetje aan je assortiment, maar sommige producten lenen zich uitstekend voor combinatiepresentaties. Op je productenpagina's toon je dan niet alleen drie goede foto's van de voor-, achter-, en zijkant van een product, maar ook een leuk sfeerbeeld van hoe je het met andere items kunt combineren, of in welke setting je het kunt gebruiken. En het leuke is dat je daarvoor geen grafisch ontwerper, noch een digitaal kunstenaar hoeft te zijn. Er zijn sites waarop werkelijk iedereen met een muis en een internetaansluiting de hipste collages kan maken. Surf maar eens naar www.polyvore.com en klik op 'maak'. Vervolgens in het menu rechts op 'backgrounds'. Zie je een achtergrond die je aanspreekt, sleep die dan naar het blanco scherm links en maak de afbeelding zo groot als je wilt. Ga dan weer naar het menu rechts en kies een rubriek, bijvoorbeeld schoenen. Sleep de schoenen die je leuk vindt weer naar links en plaats de schoenen op de achtergrond die je net hebt gekozen. Als je zo even doorgaat en met de mogelijkheden van Polyvore speelt, maak je binnen een mum van tijd de schitterendste, meest inspirerende *moodboards*. Uiteraard wil je er de foto's van jouw eigen producten in verwerken. Dat kan ook! Maak gratis een account aan en druk op 'Get the Clipper'. Je downloadt dan kosteloos een programma waarmee je met een digitaal schaartje (clipper) afbeeldingen, logo's et cetera uit elke willekeurige website kunt knippen en kopiëren. Gebruik de clipper om afbeeldingen uit je eigen webshop te knippen en hup, je plakt ze met één muisklik in een collage. Op www.shapecollage.com maak je vergelijkbare collages met JPEG-bestandjes die je vanaf je eigen computer uploadt.

Onlineverkooppraatje

Met goede foto's, filmpjes en eventueel wat aardige collages ben je al een heel eind met het vullen van de digitale schappen van je webshop. Bezoekers van je webwinkel kunnen nu de producten zo goed bekijken dat hun winkelervaring bijna op de tastbare werkelijkheid lijkt. Maar ze hebben nog wel vragen. Wat kan ik met dit product, hoe groot of klein is het precies? Heeft het een veiligheidskeurmerk en kan mijn kind ermee spelen? Kan het in de vaatwasser? Wat is de naam van dit model? En het typenummer?

Sta je in een fysieke winkel zelf achter de toonbank om op al die vragen een passend antwoord te geven, in de webwinkel moet de klant het zelf uitzoeken. Aan jou de taak om het hem of haar hierbij zo makkelijk mogelijk te maken, met goede productspecificaties (onder webwinkeliers en fabrikanten ook 'specs' genoemd). Bij ieder product in je webwinkel plaats je op de productpagina naast de foto's en andere content een lijstje met specs. Zoals gezegd kun je die bij de producent opvragen, maar je kunt ook zelf informatie van de verpakking afhalen. Neem even de moeite om er een liniaal of ander meetinstrument bij te pakken. Echt doen, want iedereen wil weten hoe groot iets is. Heb je alle specificaties in goede orde online gezet? Dan hoef je nu nog maar één ding te doen om een goede verkoper te worden; een verkooppraatje houden. Dat doe je met pakkende teksten. Niet: 'Deze pop heeft armen, benen en een hoofd. Ook acsesoires verkrijgbaar.' Wel: 'Little Lucy is met haar (afneembare) make-up een uniek cadeau voor uw dochtertje (adviesleeftijd 6 jaar). De pop werd gezien bij Suri Cruise, dochter van Tom Cruise en Katie Holmes, en is sindsdien ongekend populair in Amerika. Alleen bij ons vindt u Little Lucy en alle bijpassende accessoires nu ook in het assortiment.' Ben je er niet zeker van of jouw teksten wel foutloos en verkoopbevorderend zijn, laat er dan meerdere personen naar kijken of schakel een (freelance) tekstschrijver in.

Accepteert u ook cash?

Bij het inrichten van je winkel zorg je natuurlijk voor een goedwerkende kassa. En ook hier geldt weer dat je het de webshopper zo makkelijk mogelijk moet maken. Hij of zij moet bijna met zijn ogen dicht kunnen afrekenen en in de wetenschap verkeren dat het allemaal dik in orde komt met de gedane betaling. Door bepaalde betalingsmethoden aan te bieden verhoog je het consumentenvertrouwen in je webwinkel. Kun je bij jouw webwinkel alleen vooraf betalen door overboeking, dan wekt dat natuurlijk weinig vertrouwen, maar bied jij daarnaast betalingsmogelijkheden als iDeal, PayPal en creditcard aan, dan weet de consument a): dat je bepaalde kosten maakt door deze betalingsmogelijkheden aan te bieden en dat je er dus serieus in investeert en b): dat je aan bepaalde wettelijke criteria voldoet, omdat je om creditcards, iDeal en PayPal te kunnen accepteren je adres- en andere gegevens kenbaar moet maken.

Je doet er goed aan om in elk geval de populairste betaalmethoden aan te bieden. Dat zijn: creditcard, iDeal, PayPal en vooraf betalen. Onder rembours en achteraf betalen zijn ook opties, maar deze worden steeds minder aangeboden omdat het ouderwets is en behoorlijk risicovol voor de webwinkelier. De kosten en de risico's van alle betaalmethoden – voor zowel de webwinkelier als de consument – verschillen per methode.

Hoe accepteer ik creditcards?

Het is altijd slim om in jouw webwinkel betalingen met creditcards te accepteren. Veel mensen zijn dan eerder geneigd om iets te kopen, omdat ze met een creditcard profiteren van uitgestelde betaling en betaling in termijnen. Ook is hun aankoop vaak automatisch verzekerd tegen diefstal en schade. Daarnaast is het voor buitenlandse klanten fijn als ze met creditcards kunnen afrekenen. Wil je je goed verdiepen in het zelf aanvragen van kaartacceptatie bij de populaire creditcardbedrijven American Express, Visa en MasterCard, dan is de kans echter groot dat je al snel door de bomen het bos niet meer ziet. Ik zet kort uiteen waarom dat zo is en daarna geef ik je een tip waarmee je in één keer het probleem aanpakt door de aanvragen voor de verschillende creditcards uit te besteden.

In Nederland is het zo dat je als webwinkelier niet rechtstreeks bij American Express, MasterCard en Visa de acceptatie van hun kaarten kunt regelen. American Express verwijst je door naar een Payment Service Provider (PSP) en Visa en MasterCard sturen je naar een Credit Card Acquirer (CCA). Welke PSP of CCA je moet bellen, dat moet je zelf maar uitzoeken. En welke tarieven je moet betalen voor de acceptatie van de verschillende creditcards, ook dat is maar de vraag. Want, zo zeggen de creditcardmaatschappijen, 'het verschilt per sector en per acceptant, want we moeten weten hoe groot het gemiddelde bedrag per transactie is, hoeveel omzet een acceptant maakt en hoe groot het risico is dat wij moeten dekken'. Het is allemaal wel logisch; de creditcardmaatschappij schiet namelijk in principe bedragen voor aan jou als acceptant en in de ene branche heb je natuurlijk eerder kans op zaken als fraude en wanbetaling dan in de andere. Maar het wordt er niet overzichtelijker op: bij de ene creditcardmaatschappij betaal je eenmalige aansluitkosten, bij de andere niet, maar daar zijn dan de kosten per transactie misschien weer hoger. Ga je dat allemaal uitzoeken, dan ben je vrij veel tijd kwijt.

Mijn advies luidt daarom: ga je creditcards accepteren? Stap direct naar een *payment service provider*. Ik belde met Ogone, op dit moment de populairste PSP en zij noemden Rabobank Internetkassa en ING TWYP (The Way You Pay) als hun grootste concurrenten. Zij bieden alle drie een product aan dat Internetkassa heet en waarbij je in één keer en binnen één technische oplossing (een beveiligde omgeving van de PSP, die je aan je webwinkel koppelt in de sfeer van je eigen site) álle betaalmogelijkheden regelt. Dus creditcards, iDeal, PayPal, Maestro (debetcard) et cetera. Wat er dan gebeurt is wel betrekkelijk eenvoudig. Je bekijkt op hun website welke betaalmethoden je allemaal wenst te accepteren en geeft dat door aan de verkoopafdeling. Zij regelen vervolgens dat jij in contact komt met tussenpersonen die voor jou de contracten met de creditcardmaatschappijen en andere betaalboeren verzorgen. Zijn alle handtekeningen gezet, dan komt het stapeltje ondertekende documenten weer terug naar de Internetkassa, die vervolgens alle transacties veilig(!) faciliteert en ervoor zorgt dat zowel jij als de creditcardmaatschappijen hun geld krijgen. Bij Ogone moet je een offerte laten maken, bij Rabobank Internetkassa kost het eenmalig 250 euro aan entreekosten en daarna 80 euro per maand en bij ING TWYP betaal je voor het standaardpakket geen entreekosten maar wel 100 euro per maand. Daarnaast betaal je bij alle drie de aanbieders van Internetkassa nog een tarief per transactie, van tussen de 25 en 35 eurocent.

Zo. Creditcardacceptatie geregeld? Dan kunnen klanten vanaf nu bij jouw webshop betalen door hun naam, creditcardnummer en de *expiry date* van hun kaart in te vullen in het beveiligde scherm van de PSP. De PSP biedt deze gegevens aan bij de creditcardmaatschappij en die keert het geld uit aan jou, al of niet via de PSP. Heb je ook andere betalingsmethoden via de Internetkassa van de PSP geregeld? De transacties worden op een vergelijkbare manier verwerkt en jij krijgt netjes je geld.

www.ogone.nl

www.rabobank.nl/bedrijven/producten/betalingsverkeer/via–internet/kassa

www.twyp.nl

Hoe accepteer ik iDeal?

iDeal is ontstaan uit een samenwerking van verschillende Nederlandse banken. Het is dus een Nederlandse onlinebetaalmethode. De manier waarop een consument met iDeal afrekent, lijkt sterk op internetbankieren. De webshopper betaalt namelijk in de vertrouwde digitale omgeving van zijn eigen bank. Hij gaat naar de kassa van je webshop, selecteert de iDeal- betaalknop en kiest vervolgens zijn eigen bank. Hij wordt doorgestuurd naar de internetbankierenomgeving, waar hij inlogt, en hij geeft akkoord voor de betaling. Bij voldoende saldo op de rekening wordt het bedrag direct afgeschreven. Binnen 48 uur staat het op jouw bankrekening, maar je krijgt al eerder een melding dat de betaling is gelukt, zodat je het pakket kunt verzenden. Het grote voordeel van iDeal is dus dat de consument zich op zijn gemak voelt bij deze betaalmethode en dat het een directe overboeking betreft. Je hebt je geld dus meteen en kunt daardoor ook snel leveren. Tegenwoordig internetbankiert bijna iedereen en bijna heel Nederland kan online betalen met iDeal, dus kun je als webwinkelier bijna niet om iDeal heen.

Als je Internetkassa hebt afgenomen bij een van de PSP's, dan hoef je dit niet meer te lezen. Accepteer je geen creditcards en ben je derhalve niet geïnteresseerd in Internetkassa, dan zul je zelf de iDeal-betaaloplossing moeten aanvragen. Gelukkig is dat erg makkelijk. Op www.ideal.nl lees je hoe het allemaal in z'n werk gaat en vind je 'deep links' naar de pagina's van de deelnemende banken. De kosten voor het accepteren van iDeal verschillen per bank, dus het loont wel de moeite om even te shoppen.

Hoe accepteer ik PayPal?

PayPal kun je zien als een onlineportemonnee, waarbij je door middel van je e-mailadres geld kunt versturen en ontvangen. Je maakt een account aan en kunt bij een betaling kiezen of je dat met een creditcard wilt doen of met geld dat je op je PayPal-rekening hebt gestort. Wil je een betaling doen, dan heb je alleen maar het e-mailadres van de ontvanger nodig. Je vult het bedrag in en verzendt de e-mail. Je financiële gegevens, zoals je bankrekeningnummer en je creditcardnummer, zijn alleen bij PayPal bekend en worden dus niet aan een verkoper verstrekt. Dat maakt

PayPal dus tot een veilige onlineportemonnee.

PayPal is ooit bedacht voor veilingsites zoals eBay en Marktplaats, waar particulieren spullen aan elkaar verkopen, maar het werkt ook uitstekend voor dienstverleners en voor webwinkeliers. Omdat PayPal internationaal erg populair is, bieden steeds meer Nederlandse webwinkels de betalingsmethode ook aan. Een van de voordelen van PayPal is dat mensen uit het buitenland ook bij je kunnen bestellen en afrekenen, ook als zij geen creditcard hebben. Ook zijn de kosten voor het accepteren van (creditcard)betalingen relatief laag. En PayPal is veilig en snel, iedereen die er gebruik van maakt kan in een goedbeveiligde omgeving direct betalen en betaald worden, terwijl het ook nog eens vrij eenvoudig is om een PayPal-account aan te maken of om als webwinkelier de betalingsmethode aan je site toe te voegen.

Wil je PayPal accepteren en heb je geen Internetkassa-product afgenomen waarbij PayPal al is opgenomen, ga dan naar www.paypal.nl en klik op het tabblad 'zakelijke'. Vervolgens klik je op 'betaaloplossingen'. Je krijgt een overzicht van PayPal-producten. Voor je webwinkel is het product 'webwinkelbetalingen' het geschiktst. Het voordeel van dit product is dat je het zelf binnen een paar minuten, zonder technische kennis, op je website kunt installeren, met betaalknop en al! De kosten voor dit product zijn zoals gezegd betrekkelijk laag: er zijn geen aansluitkosten, annuleringskosten of abonnementskosten en de maximale commissie is 3,4 procent per maand, bij een maandelijkse omzet van 2500 euro of minder. PayPal pakt dan dus 85 euro. Zet je meer dan 2500 euro per maand om op je PayPal- rekening, dan betaal je een commissie van 2,9 procent. De staffel loopt door tot 1,5 procent. Hoeveel omzet je ook draait met je PayPal-rekening, je betaalt altijd 0,35 eurocent per transactie. Wil je het product 'webwinkelbetalingen' afnemen, kijk dan op dezelfde pagina bij 'aan de slag' en klik op 'open gratis een zakelijke rekening' en daarna op 'aan de slag' in de derde, meest rechtse kolom.

Vooraf betalen

Wil je geen enkel risico lopen, en heeft een klant geen iDeal, PayPal of creditcard, dan kun je ervoor kiezen om de klant vooraf te laten betalen op een manier die voor de klant het best werkt (ze kiezen dan meestal voor overmaken via internetbankieren). Zodra je het geld op je rekening ziet staan, verstuur je het pakket. Deze methode wordt nog altijd veel gebruikt. Ik raad je niet aan om alleen deze betalingsmethode aan te bieden, omdat dat bij de consument natuurlijk weinig vertrouwen oproept.

Met de informatie in deze paragraaf heb ik je van a tot z uitgelegd hoe je moet handelen om de verschillende betaalmethoden allemaal te kunnen accepteren. Dat wil niet zeggen dat je ze stuk voor stuk móét accepteren. Afhankelijk van je budget, het assortiment dat je verkoopt, en hoe uitgebreid jouw webwinkel wordt, kies je welke betaalproducten jij af wilt nemen.

De laatste loodjes...

Aan het einde van dit hoofdstuk komen we ook heel dicht bij de finish van je webwinkel. Je hebt je verdiept in de software, een webbouwer gekozen en daar intensief mee samengewerkt of je hebt zelf een webshop gebouwd met mijnWinkel. Je hebt foto's gemaakt, specificaties verzameld, teksten geschreven en betalingsmethoden gekozen en geïmplementeerd. Het resultaat? Je webwinkel staat er! Het enige wat je nu nog hoeft te doen, is hem testen. Zorg ervoor dat je nog één laatste check uitvoert op alle belangrijke punten. Test je website samen met je webbouwer of alleen in alle beschikbare browsers, zoals Windows Internet Explorer, Mozilla Firefox, Safari en Google Chrome. Laden alle afbeeldingen en filmpjes zoals het hoort? Blijven kolommen in alle browsers overeind? Werkt het bestelproces? En het afrekenproces? Is de opmaak in alle browsers hetzelfde? Bij zo'n laatste check kom je bijna altijd dingetjes tegen die je moet verbeteren. Dat is heel vervelend, maar je kunt er maar beter nu achter komen dat iets niet werkt dan straks, wanneer je bezoekers het ook kunnen zien. Je bent er bijna...

Werkt alles naar behoren en zijn je webbouwer, enkele testpersonen en jij honderd procent tevreden? Dan kun je online! Je harde werken wordt beloond met een heerlijk gevoel van voldoening en opwinding, omdat je vanaf nu echt als webwinkelier aan de slag gaat. Gefeliciteerd met de opening van je webshop!!!

Stap 5

De tamtam: geef ruchtbaarheid aan de zaak

Eindelijk is het dan zover, je internethandel is online. Iedereen mag weten hoe leuk, geweldig en betaalbaar jouw webwinkel is. Je kunt het wel van de daken schreeuwen. Sterker nog, dat is ook precies wat je moet doen. Er zijn heel veel webwinkels in Nederland en er komen er steeds meer bij. Omdat de ontwikkelingen in de e-commerce zo snel gaan, is er steeds meer mogelijk en er worden dan ook zeer bijzondere en slimme concepten bedacht. En die vallen op. Om niet in de grijze webwinkelbrij op het internet verloren te gaan, en natuurlijk om bezoekers te trekken, moeten we voor jou ook dingen bedenken die de aandacht op jouw webshop vestigen.

In hoofdstuk 2 hebben we gebrainstormd over een goed concept voor je webwinkel. Heb je toen een unieke propositie bedacht en is het resultaat nu een webwinkel als geen andere? Dat is het halve werk voor als je naam wilt maken. Daarnaast is er nog heel veel dat je kunt doen met marketing en pr (public relations), twee containerbegrippen die je als nieuwbakken ondernemer nog heel vaak zult horen.

Dit hoofdstuk gaat over de belangrijkste tips om zo veel mogelijk publiciteit voor jouw webwinkel te genereren en om zo veel mogelijk internetshoppers naar je webwinkel te lokken door ze daarvoor te belonen (marketing). Hiervoor stippelen we samen een globaal plan uit, waarmee ik je een eindje op weg help met jouw poging om niet met de andere twaalf in het dozijn te versmelten.

(Internet)marketing en pr worden door de meeste bedrijven in combinatie met elkaar ingezet om de beste resultaten te boeken. Maar, de eerlijkheid gebiedt me te zeggen dat als je echt heel goede marketing en pr wilt bedrijven, je naar een specialist op het gebied moet stappen, want het is een vak apart.

Natuurlijk wil je continu aandacht voor je webshop, om de aanloop van bezoekers te bevorderen. En er zijn verschillende momenten waarop je graag in één keer heel veel aandacht voor jouw webwinkel wilt genereren. Daar gaan we het over hebben. Daarna bespreken we de marketingacties die je kunt ondernemen, wat je zelf aan je pr kunt doen en hoe je beide koppelt en dan je plannen uitvoert. Ik stip het gebruik van Google, veilingsites, advertenties, kortingscodesites, *affiliate*-sites en verzamelsites aan. De oprichtster van verzamelsite Flavourites vertelt je in een openhartig interview alles over wat je moet doen om een Flavouriteshop te worden. Daarna duiken we voor je pr-strategie in het onderwerp free publicity, social media en imagebuilding. Fleur Kriegsman van Hipvoordeheb.nl vertelt je hoe zij haar 'fifteen minutes of fame' voor elkaar bokste en tot op de dag van vandaag een medialievelingetje is gebleven. Hilmar Mulder, hoofdredacteur van de succesvolle wekelijkse glossy *Grazia*, geeft je exclusief in dit boek de visie van een doorgewinterde mediavrouw op e-commerce en vertelt over de oprichting van Graziashop.nl.

Het is altijd het juiste moment

In je nieuwe loopbaan als internetondernemer zul je je waarschijnlijk regelmatig afvragen wanneer het nu het beste moment is om een marketingactie te starten of om iets naar buiten te brengen en zo de aandacht van jouw doelgroep op je bedrijf te vestigen. Ik heb goed nieuws: je kunt nooit het verkeerde moment kiezen. Een effectieve marketingactie of een slimme pr-stunt kan je op elk moment veel opleveren. Maar je moet wel je budget en je kostbare tijd zo goed mogelijk verdelen. Er zijn momenten die bij uitstek geschikt zijn om juist dan aandacht te besteden aan marketing en pr, dus het is slim om voor die momenten wat geld opzij te zetten en ruimte in je agenda te maken.

Allereerst is er de start van je webwinkel, die je natuurlijk op alle manieren groots wilt aankondigen. Hiervoor maken we in dit hoofdstuk ons plan. Maar ook als je al een tijdje bezig bent, zijn er vele momenten die marketing-

en pr-kansen bieden. Zoals het opnemen van een nieuw merk in je assortiment. Is het een bekend merk, dan kun jij met jouw webwinkel lekker op die bekendheid meeliften. Je kunt in samenwerking met het merk kijken of je een speciale aanbieding kunt maken en hiervoor een mediacampagne kunt starten. Wissel je elk seizoen van collectie? Dan heb je dus net voor de start van ieder jaargetijde leuk nieuws om te melden. Ga je met jouw webwinkel een kantoor betrekken, verzin dan een officiële opening. Je nodigt vrienden, bekenden en je websitebezoekers (en de lokale krant?) uit om hierbij aanwezig te zijn en verloot op het feestje een leuke prijs, zoals een flinke tegoedbon bij je webwinkel. Je maakt een serie foto's en plaatst die op je site. In alle veranderingen en uitbreidingen rondom jouw webwinkel schuilt mogelijk nieuws dat je kunt gebruiken voor een marketing- en/of pr-actie.

Ook nieuws van buitenaf leent zich vaak als een moment om handige inhaakacties te bedenken. Het maakt niet uit of dat goed nieuws of slecht nieuws is. Twee voorbeelden:

Toen Lady GaGa bekend begon te worden, waren er webwinkels die meteen 'stijlpagina's' maakten met foto's van de rijzende ster en daarnaast foto's van producten die zij aanboden en die erg leken op de items die Lady GaGa op de foto's droeg. 'Shop in de stijl van Lady Gaga' stond er dan, en '20% korting op deze zonnebril met de kortingscode: GaGa 20'. Over deze actie verstuurden ze nieuwsbrieven en persberichten en zo wisten Lady GaGa-fans waar ze moesten webshoppen.

De aardbeving in Haïti was een ongekende ramp en de twee weken erna ging het in de hele wereld nergens anders meer over. De media berichtten uitgebreid over de catastrofale gevolgen van de aardbeving en mondiaal werden burgers opgeroepen om geld te doneren voor eerste hulp aan slachtoffers, voor voedsel, water en medicijnen. Verschillende webwinkeliers startten een actie om geld in te zamelen: 'Haïti-actie! Nu geen verzendkosten en 5% van uw aankoopbedrag gaat naar giro 555', las ik in een persbericht. Hoe ik kon controleren of er daadwerkelijk een bedrag naar het fonds zou worden overgemaakt, kon ik nergens ontdekken, maar het stond natuurlijk heel nobel. En zo zie je maar, de een z'n dood is soms letterlijk de ander z'n brood...

Ik adviseer om altijd wat geld en tijd vrij te maken voor acties rond geijkte, jaarlijks terugkerende momenten zoals nationale feestdagen, maar ook voor evenementen in je regio zoals de Nijmeegse vierdaagse, PinkPop en Lowlands, de Dam-tot-Damloop et cetera. Natuurlijk moet je alleen iets doen met een evenement dat bij jouw bedrijf past. En: wees origineel. Zeker rond nationale feestdagen zul je niet de enige zijn met een actie of stunt. Ben je geen creatief wonder of twijfel je aan de haalbaarheid en effectiviteit van je ideeën? Schakel iemand in die er zijn of haar beroep van heeft gemaakt. Zo investeer je je budget veiliger dan wanneer je zelf gaat prutsen.

Marketing voor webwinkeliers

Het internet werkt op veel vlakken anders dan de fysieke wereld. Zo is iedereen met een nieuwe website, of dat nu een webwinkel, een e-zine of een blog betreft, in principe onvindbaar tot de website bij Google en/of andere zoekmachines wordt geïndexeerd. Als webwinkelier moet je je realiseren dat je bijvoorbeeld geen opvallende gevel in een drukbezochte winkelstraat hebt. Toevallige voorbijgangers die door de aanblik van je etalage over de drempel worden getrokken, zijn er op het internet niet. Het eerste uithangbord van jouw webshop wordt dus Google!

Nu is het zo dat je website, zelfs als deze niet Google-vriendelijk is geprogrammeerd, op een gegeven moment toch wel in de resultatenlijst van de zoekmachine verschijnt, maar ja, hoe dan? Wat staat er dan bij de link? Daar wil je natuurlijk zo veel mogelijk invloed op uitoefenen en bij het online gaan van je bedrijf wil je gewoon direct vindbaar zijn via Google. Daarom is het verstandig om je website aan te melden bij Google, door je website op te laten nemen in het Open Directory Project (OPD), de grootste linkdatabank van het internet.

Je vindt dit enorme register op www.dmoz.org. Je kunt het OPD zien als een soort über-Google. Want heb je je ooit wel eens afgevraagd hoe Google en andere zoekmachines aan hun data komen? Nou, onder meer doordat zij gebruikmaken van de grootste onlinedirectory van de wereld, die overigens geheel door vrijwilligers wordt bijgehouden. Het OPD heeft 85.865 vrijwillige redacteuren, mensen zoals jij en ik die veel verstand hebben van een bepaald onderwerp en die het leuk vinden om websites die bij dit onderwerp passen toe te voegen aan de categorie.

Het OPD is opgericht in 1998, om het almaar groeiende internet zo overzichtelijk mogelijk te maken. Inmiddels zijn er 4.533.125 websites geregistreerd in het OPD. Zij zijn verdeeld in 590.000 categorieën. En jouw webwinkel wordt straks aan een van die categorieën toegevoegd. Om je website aan te melden volg je onderstaande stappen:

1 Ga naar dmoz.org. Klik in het linkermenu op 'Nederlands'.
2 Klik daarna in het linkermenu op 'URL aanmelden'. Je gaat naar een pagina in het Engels.
3 Druk op het onderstreepte woord 'instructions'.
4 Doe precies wat er in het 4-stappenplan van de site staat.

Binnen een paar weken zou je website in de door jou gekozen categorie moeten staan. Je kunt dit checken door deze categorie te bekijken op www.dmoz.org, maar je ziet het ook aan de zoekresultaten in Google. Wordt jouw webadres getoond in de zoekresultaten als je je bedrijfsnaam intypt, dan is het belangrijkste in orde.

Google Adwords en SEO

Alleen op je bedrijfsnaam gevonden worden in Google is natuurlijk niet wat je wilt. Je wilt zo hoog mogelijk in de lijst met zoekresultaten staan als mensen de naam van een product en/of het merk als zoekwoorden invullen. Om dat te bereiken zijn er twee belangrijke dingen die je kunt doen:
1 *Google Adwords-campagnes starten.* Google heeft een eigen advertentieprogramma, waarbij jij als webwinkelier betaalt om te worden gevonden bij bepaalde zoekopdrachten. Verkoop je balletspullen, dan hoop je dat ballerina's jouw webwinkel bovenaan in de lijst zien staan als zij zoeken op 'balletschoenen', 'spitzen', 'tutu', 'ballet' et cetera. Die woorden zet je in advertenties die je zelf schrijft. Je betaalt Google per klik. Je bepaalt zelf hoe hoog de kosten worden, want je kunt hier een limiet aan stellen. Ziet een googelende webshopper jouw advertentie over spitzen en klikt zij erop, dan wordt zij doorverwezen naar jouw webwinkel en betaal jij Google daarvoor. Op Google.com/adwords vind je alle informatie over tarieven, over hoe het werkt en over hoe je een succesvolle campagne start. Je kunt

het ook uitbesteden, er zijn in Nederland tientallen bureaus die zich erin hebben gespecialiseerd. En die vind je... op Google! Zoekwoord: adword.
2 *Teksten in je webshop Google-vriendelijk maken.* Om alle internetpagina's zo goed mogelijk te indexeren stuurt Google continu zijn 'zoekrobot' langs websites. Deze zoekrobot houdt er erg van als hij op een site data aantreft die hij lekker en makkelijk verteerbaar vindt. Heeft je webshop een site die bij hem in de smaak valt, dan zet hij jouw site hoger in de zoekresultaten. Hij is op zoek naar goed geprogrammeerde metatags, duidelijke inhoud en hyperlinks. Het lekkerst vindt hij populaire zoekwoorden zoals merknamen, maar ook content als prijzen, de naam van de fabrikant en het modelnummer. Ook *backlinks*, dus links van andere websites naar jouw webwinkel, gaan er wel in. Door je site goed te laten programmeren en door goede teksten te schrijven, kun je dus hoger in de zoekresultaten eindigen. Dit heet 'zoekmachineoptimalisatie' of 'search engine optimizing'(SEO) en het is best een technisch verhaal. Het voordeel ervan is dat het gratis is, als je zelf met SEO aan de slag gaat. Besteed je het uit, dan zijn er natuurlijk wel kosten aan verbonden. Bureaus vind je met het zoekwoord SEO.

eBay en Marktplaats

De tweede stap waarmee je je webshop onder de aandacht van veel mensen kunt brengen, zet je door al je producten ook aan te bieden op veilingsites als eBay en Marktplaats. Deze sites trekken dagelijks duizenden bezoekers. Waarom zou je die bezoekers zelf gaan zoeken als je gewoon uit het verkeer van veilingsites kunt putten? In gratis of vrij goedkope advertenties plaats je bijvoorbeeld een 'speciale aanbieding' met een link naar je webshop. Komen de Marktplaats- of eBay-bezoekers naar je webwinkel, dan zien ze daar een kortingscode of iets anders waarmee je ze beloont.

Online en offline adverteren

Adverteren is al zo oud als de weg naar Rome, en hoe het werkt is allemaal zeer logisch, maar ik noem het hier toch omdat doelgericht adverteren je zeker in het begin een stuk op weg kan helpen. Met jouw assortiment en de merken daarin in het achterhoofd ga je bedenken welke websites en andere media jouw doelgroep(en) dagelijks zien. Verkoop je babyartikelen, dan is het goed om ervoor te zorgen dat er op zo veel mogelijk sites over zwangerschap, baby's, moederschap et cetera links naar jouw babyspullenwebshop staan. Sommige sites vragen niets voor een advertentie, andere vragen een link terug, en weer andere hanteren bepaalde tarieven. Je kiest zelf een combinatie van betaalde en onbetaalde advertenties en bepaalt gaandeweg of het je voldoende oplevert. In offlinemedia, zoals de lokale krant, vakbladen, gespecialiseerde tijdschriften en dergelijke, kun je ook adverteren. Dat gaat vrijwel altijd tegen betaling. Denk er dus om dat je wel gericht adverteert. Zoek goed uit of het medium bij jouw doelgroep(en) past en zorg ervoor dat mensen niet alleen jouw advertentie zien, maar dat ze er ook iets mee kunnen doen, bijvoorbeeld korting krijgen met een kortingscode speciaal voor het desbetreffende medium.

Affiliate marketing

Een betaalde manier waarmee je ontzettend veel links naar jouw webshop kunt creëren, is *affiliate marketing*. Bij affiliate marketing koop jij voor jouw webwinkel bezoeken in bij een 'affiliate'. Dat is iemand met een website/nieuwsbrief/zoekmachinecampagne die heel veel bezoek (ook wel 'traffic' geheten) creëert en die precies het soort bezoekers naar wie jij op zoek bent, naar jouw webwinkel door kan sturen.

Voor dat doorsturen betaal je commissie. Je rekent af per bezoeker, per aankoop door een doorgestuurde bezoeker of per 'view', dus per keer dat jouw advertentie/link op de site van de affiliate werd getoond. Affiliate marketing is dus het tegen betaling promoten van iemand anders zijn product. De affiliate stuurt zijn bezoekers immers naar jouw webshop door. Je begrijpt dat hier tegenwoordig sloten met geld in omgaan. Door de groei van het internet wordt het steeds moeilijker om de individuele bezoeker te bereiken en daarom betalen belanghebbenden graag voor traffic naar hun site. Dit is dan ook de reden waarom affiliatenetwerken (affiliates die allemaal samen zijn gebracht door één partij) erg floreren. Affiliatenetwerken brengen jou en affiliates samen en monitoren voor beide partijen het doorgestuurde verkeer. Ook zorgen zij voor de uitkering van commissies aan affiliates. Uiteraard snoepen zij zelf een stukje van de taart mee. Bekende affiliatenetwerken zijn M4N, Tradetracker en Tradedoubler.

Wanneer je je met je webshop aansluit bij een affiliatenetwerk, word je omgedoopt tot 'merchant' of adverteerder. Het affiliatenetwerk plaatst je advertenties op sites met grote bezoekersaantallen. Je zult gegarandeerd merken dat je meer bezoekers krijgt, en dat ook je vindbaarheid in Google verbetert.

Voor een startende webshop is het niet altijd even makkelijk om zich aan te sluiten bij een affiliatenetwerk. Er wordt soms van je verwacht dat je een flink aantal producten verkoopt en dat je een bepaalde omzet per maand genereert. Het affiliatenetwerk gaat jou niet promoten als dit hun te weinig oplevert. Tradetracker werkt niet op deze manier. Lukt het je niet bij anderen, dan is Tradetracker voor jouw webshop misschien een goede oplossing.

www.m4n.nl
www.tradetracker.nl
www.tradedoubler.nl
www.zanox.com
www.daisycon.com

Promoot je acties op kortingscodesites!

Ben je net online, dan heb je uiteraard een feestelijke introductiekorting bedacht. Maar hoe breng je je webshopbezoekers daarvan op de hoogte en hoe laat je ze profiteren van de korting? Hoe meet je wie welke korting wanneer heeft gehad?

In het CMS van je webwinkel kun je speciale kortingscodes koppelen aan dergelijke acties. Deze codes stel je ter beschikking aan klanten die zich bijvoorbeeld inschrijven op je nieuwsbrief, webshoppers die een herhalingsaankoop bij je doen, of die tien vrienden naar jouw webshop hebben doorverwezen. Of je geeft elke *first time visitor* een kortingscode. Nederlanders zijn een enorm couponminnend volkje. Supermarkten zijn al tientallen jaren succesvol met zegelspaaracties, kraskaartkorting enzovoorts. Het is dus niet verwonderlijk dat er ook online op kortingen wordt gejaagd. In een paar jaar tijd zijn er in Nederland dan ook verschillende bedrijven opgestaan die handig inspelen op de kortingscodetrend: zij richtten verzamelsites op waar (web)winkels hun kortingsacties kunnen promoten.

De bekendste kortingscodesites zijn Actiecode.nl en Kortingscode.nl. Je kunt je webshop en je producten op verschillende manieren promoten met acties op deze sites. Voorwaarde is wel dat je bent aangesloten bij een of meerdere affiliatenetwerken en dat je noemenswaardige kortingen biedt. Je betaalt commissie over de verkopen die je via de kortingscodesites genereert. Die variëren tussen de 5 en 15 procent van het aankoopbedrag.

Verzamelsites: onlinevergaarbakken waar je niet zonder kunt

Er zijn vele websites actief die het aanbod van de populairste webshops in een bepaalde branche promoten. Daar wil jij natuurlijk tussen staan. Zoek de grootste verzamelsites voor jouw branche en neem contact op om te kijken of je kunt worden opgenomen.

INTERVIEW: Flavourites: hoe snoepje van de week een blijvertje werd.

Natascha Klootsema en Marije Mulder leerden elkaar kennen via Susie Your Shopping Guide. Marije werkte als trafficmanager op de uitgeverij, Natascha schreef als freelancejournalist voor de gidsen. Het klikte en toen de dames elkaar toevertrouwden dat ze wel iets zagen in een gezamenlijke carrière als ondernemer, staken ze de koppen bij elkaar. Het plan: een boek met de fijnste webshops van Nederland uitgeven. Het resultaat: de inmiddels beroemde website Flavourites.nl, een eigen onlinemagazine, en het webshopevent Flavourites Live. En dat boek is er ook nog gekomen. Hoe hebben ze dat allemaal voor elkaar gekregen? Voor alle internetgodinnen in spe vertelt Natascha het succesverhaal van Flavourites en geeft ze je de beste tips voor jouw webwinkel.

Het blijkt dat de Flavourites-eigenaressen niet altijd samen op kantoor werken. Sterker nog, ze werken allebei veel vanuit huis. Natascha: 'Ja, daar leent zo'n internetbedrijf zich natuurlijk uitstekend voor. We communiceren via e-mail en Skype. Ideaal.' Als we op haar zonnige terras ons interview beginnen en een bijna professioneel gemaakte cappuccino drinken, bevestig ik dat het inderdaad niet verkeerd is om zo je werk te doen. En als Natascha dan ook nog verklapt dat Flavourites per maand tussen de 300 en 400 aanmeldingen van webshops krijgt, die allemaal bereid zijn om voor vermelding te betalen, vraag ik me af waarom ik het niet heb bedacht. En dat brengt me op mijn eerste vraag. Hoe zijn Marije en Natascha op het idee voor Flavourites.nl gekomen?

'We gingen voor offline, maar konden niet om online heen'

Natascha antwoordt: 'Dat het een verzamelwebsite moest worden, daar kwamen we pas later op. In 2006 hadden we plannen voor een boek over de leukste webwinkels van Nederland. Dat idee lag natuurlijk niet zo ver van wat we op dat moment al deden, boeken maken over de leukste fysieke winkels van Nederland. Webwinkelen was op dat moment een steeds populairder wordend onderwerp, maar het was ook nog zo dat niet iedereen het volste vertrouwen had in kopen via het internet. Ook was er maar weinig bekend over goede onlineadressen. Wij bedachten dat we internetshoppers een overzicht wilden bieden van de leukste, mooiste, fijnste en betrouwbaarste webwinkels. We wilden ons richten op vrouwen, omdat wij ons goed in hen kunnen verplaatsen en we wilden dat dat overzicht er aansprekend uit zou zien. Samen hebben we het talent in huis om dat voor elkaar te krijgen.

Maar ja, een boek over webwinkels moet natuurlijk ook een goede site hebben. In onze netwerkkring werd steeds vaker geopperd dat het misschien beter zou zijn om in plaats van een verzamelboek een verzamelsite te maken, omdat de mogelijkheden hiervan vele malen groter zijn, zoals een groter bereik tegen lagere kosten, groeimogelijkheden en ga zo maar door. We besloten om inderdaad voor een site te gaan. Ik bedacht de naam onder de douche en die hebben we toen meteen geclaimd.'

Snoep uitdelen bij de bladen

Natascha en Marije gingen niet over één nacht ijs, zo legt Natascha uit. 'Al met al hebben we een jaar lang voorbereidend werk gedaan. Veel budget hadden we niet. We investeerden allebei 1000 euro en staken er alle tijd in die we naast ons werk overhielden. We schreven zo'n 250 webwinkels aan om te vragen of ze het leuk zouden vinden om op onze site te staan. Gratis. En we vroegen of ze ons wilden helpen met de uitvoering van ons pr-plan, door ons wat producten toe te sturen die wij bij uitgevers van tijdschriften konden uitdelen.

Je had onze huizen daarna eens moeten zien. Bergen gratis hebbedingetjes kregen we toegestuurd, bijna iedereen vond het een hartstikke leuk idee, het kostte immers bijna niks. Al die leuke spullen combineerden we in mooie pakketten waar we een strik omheen deden en ons logo op plakten: een roze snoepje. We deelden de dozen uit op de redactieadressen van alle grote bladen, zonder daar iets voor terug te vragen. Beetje bij beetje werden er steeds meer artikelen over ons geschreven.'

Shopplezier, kwaliteit & service

En toen ging het balletje rollen. Natascha: 'Doordat onze wervingsactie en onze pr-stunt zo aansloegen, kregen we direct aanmeldingen van webshops die al behoorlijk naam aan het maken waren, zoals Perfectlybasics.nl, Kleertjes.com, Welikefashion.com en LaDress.com. Dat trok ook andere webwinkeliers over de streep om met ons in zee te gaan. Onze policy was toen dat in aanmerking komende winkels gratis vermeld konden worden en dat als zij echt op wilden vallen, dat tegen betaling kon. En het mag misschien arrogant klinken voor twee meiden die toen net begonnen, we zijn vanaf dag één erg kieskeurig geweest met het toelaten van webshops op onze site. We willen onze bezoekers shopplezier bieden én ze tevreden stellen over onze kwaliteit en service en die van de bij ons aangesloten webwinkels. Staat een webshop eenmaal bij ons online, dan blijven we ook letten op de reacties van bezoekers die we hebben doorgestuurd. Zit hier een klacht bij, dan nemen we contact op met de desbetreffende webwinkelier. Wordt de klacht na meerdere verzoeken niet of onvoldoende opgelost, dan wordt de webshop uit ons bestand verwijderd. Gelukkig is dit nog amper voorgekomen.'

Flavourites, de cijfers

Inmiddels herbergt de database van Flavourites de gegevens van 1200 aangesloten webwinkels, die tegenwoordig 10 euro per maand betalen. 'Doordat we contributie zijn gaan vragen, zijn er veel webwinkels afgevallen. Daardoor is een welkome schifting ontstaan,' aldus Natascha. 'Je merkt toch dat dit webwinkeliers zijn die er minder voor overhebben dan anderen, die er echt voor willen gaan. Ook melden minder nieuwe winkels zich aan. Dat geeft niets, want het blijven toch zo'n 300 à 400 aanmeldingen per maand die we allemaal moeten verwerken, terwijl we maar zo'n 10 procent van de webwinkels toelaten.'

Ik zeg dat ik het wel behoorlijke aantallen vind, honderden aanmeldingen van nieuwe webshops per maand. 'Het zijn niet allemaal nieuwe,' zegt Natascha. 'Er zitten er ook bij die we eerder hebben afgewezen, en ook sturen veel bezoekers ons tips door. Maar ik heb leuk nieuws dat helemaal bij jouw boek past: 90 procent van alle nieuwe webshopeigenaren die wij spreken, is vrouw!'

En er zijn nog meer interessante cijfers. 'Wij hebben nog geen concurrenten, althans niet van enige betekenis,' zegt Marije. 'We richten ons met categorieën als mode, interieur, baby's & kinderen en reizen op een specifieke doelgroep; vrouwen tussen de 20 en 45 jaar, waarvan de kern tussen de 30 en 35 is. Daarvan weten we dat tweederde van hen een parttimebaan heeft en een gezin, en dat zij het dus fijn vinden om via ons tijd en moeite te besparen doordat ze snel de leukste webshops kunnen vinden. Wat wij bieden is gewoon handig.'

Flavourites Live

Dat het goed gaat met Flavourites, blijkt wel uit de bedrijfsuitbreidingen. Al snel na de lancering van Flavourites startten Natascha en Marije FlavourZine.nl, een onlinemagazine met mooie productcollages, leuke artikelen en andere inspirerende inhoud. Alles wat er in FlavourZine.nl te zien is, kun je direct online kopen. Het onlinemagazine dient om te inspireren, maar als een lezeres zo enthousiast wordt dat ze een product direct wil aanschaffen, dan hoeft ze er alleen maar op te klikken.

Natascha: 'We smijten geen geld over de balk, we steken juist alles wat er binnenkomt in dit soort uitbreidingen. We proberen de kosten wel zo laag mogelijk te houden, waardoor we winstgevend zijn. Dat het zo goed gaat met ons bedrijf komt doordat we voorzichtig groeien, overal drie keer over nadenken en doordat we slim proberen te investeren. Zoals met Flavourites Live bijvoorbeeld, dat we samen met *HPR Organisatie* organiseren. De eerste keer dat we Flavourites Live hielden, kwamen er zo'n

5000 bezoekers. Deze dagen organiseerden we zodat onze websitebezoekers en de webwinkelhouders eens kennis met elkaar konden maken en zodat de internetshoppers die misschien nog niet helemaal overtuigd waren van een bepaalde winkel, een bepaald product of merk, dit nu met eigen ogen konden bekijken in de kraampjes en stands van de webwinkeliers. Drie dagen lang kwam de virtuele webshopwereld van Flavourites tot leven. Het was zo'n succes en we hebben er zulke leuke reacties op gekregen dat we alweer druk bezig zijn met de tweede editie!'

Tips van een kenner

Wil je ook op Flavourites.nl staan met jouw webwinkel, maar ben je bang dat je niet door de strenge selectie komt? Natascha geeft een paar tips.

- 'Onderschat het allemaal niet. Wil je een webshop beginnen, realiseer je dan dat het veel tijd kost om er een succes van te maken. De webwinkels bij ons in het bestand zijn vaak fulltime bezig met hun assortiment, met de logistiek van het afhandelen van bestellingen en met service verlenen.'
- 'Zorg voor een goed gevulde webshop. Verkoop jij één jurkje, twee paar schoenen en wat kettinkjes, dan zullen onze bezoekers teleurgesteld zijn. Zij zoeken webshops met een ruim assortiment.'
- 'Verkoop je originele producten, dan zijn wij en onze bezoekers erg nieuwsgierig naar je webwinkel en komen we graag eens kijken!'
- 'Zorg voor een aansprekende uitstraling van je site. Daarvoor hoeft je geen duizenden euro's uit te geven, het kan ook met een webwinkel van mijnWinkel.nl. Als je er maar aandacht aan besteedt. Goede, duidelijke foto's, een leuke opmaak en informatieve teksten zijn hierbij heel belangrijk.'
- 'Ga niet schermen met allerlei logo's van nepkeurmerken, dat doet alleen maar afbreuk aan je uitstraling. Bezoekers zijn niet achterlijk. Het Thuiswinkel Waarborg-keurmerk is een van de keurmerken die echt hoog staan aangeschreven.'

Alle aandacht is goed

Door slimme marketingacties kun je je webwinkel op verschillende plaatsen zeer gericht promoten. Meestal moet je daarvoor betalen, in de vorm van commissie, of je betaalt gewoon voor de diensten. Voor je als beginner in één keer te veel geld in marketingzaken investeert, wil ik je attent maken op het volgende: met *free publicity* kun je ook heel veel bereiken; deze vorm van publiciteit is in principe gratis. Onder free publicity kun je verstaan: een interview voor een krant, blad, televisie of radio, of het uitlenen van jouw producten voor fotoshoots die in de media worden gepubliceerd. Er is van alles wat je kunt ondernemen om – zonder ook maar iets te betalen – publiciteit voor je webwinkel te genereren.

Maar hoe kom jij aan fijne free publicity voor jouw webshop? Waar moet je op letten? En, kost het echt niets? Wil je structureel goede free publicity voor je bedrijf, product, dienst of jouw eigen persoon, dan moet je wel degelijk investeren, en wel: zeeën van tijd. Deze vorm van free publicity gaat over relaties, over netwerken en over politiek. Er zijn veel ongeschreven regels, waarvan men verwacht dat je ze vanbuiten kent en ernaar handelt. Toch is het een leuk vak, omdat het werkt volgens het aloude 'voor wat, hoort wat'-principe. Het medialandschap in Nederland is de afgelopen tien jaar ook erg veranderd. Met de komst van steeds meer freelancers, stages die steeds korter lijken te worden en buitenlandse medewerkers die toch voor de Nederlandse kranten werken, is het bijvoorbeeld niet meer zo dat je voor al je nieuwtjes met een vaste redacteur kunt bellen of mailen. Het verloop is enorm.

Als webwinkelier is je basisactiviteit natuurlijk gewoon de verkoop van je product(en) in je webwinkel, er is geen tijd over om een freepublicity-expert te worden. Je zou je namelijk moeten verdiepen in de belevingswereld van journalisten en redacteuren, wat zij willen horen en hoe je als commerciële ondernemer jouw boodschap vertaalt in nieuws dat de pers wil publiceren. Als dat wel is wat je wilt, dan zijn er twee dingen die je kunt doen: een hiertoe opgeleide medewerker aannemen of de activiteiten uitbesteden aan een pr-bureau dat zich in free publicity heeft bekwaamd.

Ben je bereid om een deel van je tijd in het verkrijgen van free publicity te investeren en heb je zoiets van 'niet geschoten is altijd mis', dan heb je de juiste instelling en is het echt mogelijk om zelf (misschien met een aantal keer proberen) iets te bereiken. Ook al krijg je maar één interview in een lokale krant, dit kan het begin zijn van meer.

Persbericht schrijven en versturen

Heb je iets nieuws waarvoor je graag aandacht wilt genereren, bijvoorbeeld het arriveren van je wintercollectie, het feit dat je met jouw webwinkel een goed doel steunt, dat jij materialen levert aan een bekende sportclub of dat de productie van jouw assortiment voor werkgelegenheid zorgde in een arm land? Als je dit nieuws in een goed persbericht zet, en het naar zo veel mogelijk relevante media stuurt, heb je kans dat er iemand contact opneemt die er een artikel over wil schrijven. Of die dat gewoon doet en dat je het een dag later ergens op internet ziet staan.

De reden waarom ik het heb over een 'goed persbericht' en 'relevante media' heeft met je slagingskansen te maken. Een goed geschreven persbericht bevat in ieder geval het volgende:

- 1 A4'tje met tekst
- het is duidelijk dat het om een persbericht gaat, de pers wil weten waar ze aan toe is. Dus bovenaan zet je 'PERSBERICHT'
- er staat een pakkende, foutloos gespelde kop boven, die ongeveer al het nieuws uit het hele bericht omschrijft
- er staat een datum en een plaatsnaam boven
- het nieuws vindt plaats op de dag dat je het persbericht verstuurt of binnen enkele dagen daarna. Nooit ervoor. De krant schrijft niet over een webwinkel die drie weken geleden werd geopend en dat het een leuk feestje was
- het persbericht bestaat uit een kop, een romp en een staart. Het is oprolbaar geschreven, in de eerste alinea staat het belangrijkste nieuws, in de tweede iets minder belangrijk nieuws en in de derde staat nieuws dat ook wel kan worden weggelaten als dat nodig blijkt
- er staat een duidelijke 'noot voor de redactie' onder waarin je de pers informeert bij wie ze moeten zijn voor inlichtingen

Niet alles is nieuws

Schrijf je verhaal zo dat het nieuwswaarde bevat. Hiervoor zou ik je tientallen tips kunnen geven, maar je moet het voornamelijk enigszins kunnen aanvoelen. Non-informatie voor een journalist is: 'Tilburgse start webwinkel in sieraden.' Hij denkt: 'O, weer de zoveelste huisvrouw met een webwinkel' en klik, je persbericht zit in de prullenmand op zijn bureaublad. Dit zou de journalist wel nieuws vinden: 'Burgemeester opent Tilburgse webwinkel in sieraden.' *De Telegraaf* zul je er waarschijnlijk niet mee halen (tenzij het komkommerseizoen is begonnen), maar de kans dat het in de lokale kranten verschijnt is absoluut aanwezig. Vóór je je persbericht gaat schrijven en versturen, bedenk je dus eerst zo interessant mogelijk nieuws.

Dit persbericht verstuurde mijn pr-bureau over Hipvoordeheb.nl, de webwinkel van Fleur Kriegsman.

–PERSBERICHT–

Havo-scholiere maakt vliegende start met eigen internetwinkel

CULEMBORG, 2 JUNI 2008 – Fleur Kriegsman (16) verkoopt dames- en woonaccessoires van exclusieve merken, die toch betaalbaar zijn voor de kleine (tiener)portemonnee. Gewoon vanuit haar eigen slaapkamer. 'Ik kan wel de hele zaterdag vakken gaan vullen voor 3 euro per uur, maar daar leer ik niks van. En het schiet ook niet op qua verdiensten,' aldus de tiener uit Culemborg.

Toen ze 14 was, begon ze met het verkopen van enkele sjaaltjes op Marktplaats.nl. Binnen een maand ontdekte Fleur dat je – met creativiteit, ondernemingszin en een heel klein beetje hulp – binnen een paar muisklikken goed kunt verdienen met het verkopen via internet. De zestienjarige heeft nu een jaaromzet van duizenden euro's met haar webwinkel www.hipvoordeheb.nl

Internationale leerschool online

De tienerondernemer zoekt haar zaakjes goed uit. Zoals het 16-jarige meiden betaamt, weet ze wat hip is. Via internetsites koopt ze wereldwijd artikelen in. 'De spullen komen uit China, Japan, de VS, India en Frankrijk. Ik moet in het Engels e-mailen, het contact met andere in- en verkopers vind ik erg leuk,' aldus Fleur. 'Het is leerzaam, ik weet al veel over in- en verkopen, over het bijhouden van een administratie en over de promotie van mijn webwinkel. Het lijkt mij heel goed als de informatie over het starten van een bedrijf beschikbaar wordt gesteld op alle middelbare scholen.'

Je kunt niet vroeg genoeg beginnen

Kriegsman snijdt hiermee een hot topic aan. De SER (Sociaal Economische Raad) en de Stichting van de Arbeid zullen in het eerste kwartaal van 2008 een aantal adviesnota's publiceren waarin zij aandringen op het feit dat jongeren meer moeten worden gestimuleerd om een eigen bedrijf te starten. Deze kinderen zijn immers de motoren van onze economie. Uit cijfers van de Kamer van Koophandel blijkt dat er op 1 januari 2007 in totaal 1,1 miljoen ondernemers waren in Nederland. Onder hen waren er 5882 jonger dan twintig jaar.

Ik word ondernemer

En Fleur Kriegsman? Die barst van de plannen. 'Ik vraag me steeds af hoe alles beter en professioneler kan. Ik ben nu bij de KvK ingeschreven onder mijn vaders naam en ik werk nog aan mijn ondernemingsplan. Mijn website kan nog wel professioneler, dat ga ik deze maand regelen. Sinds twee maanden kunnen mensen ook betalen met iDEAL, dat heb ik ook zelf geregeld. Daar ben ik best trots op. Ik denk dat ik Hipvoordeheb.nl kan uitbreiden met meerdere labels. Ik maak eerst mijn havo af, daarna wil ik graag hbo Fashion & Branding gaan doen. Maar één ding weet ik zeker: ik word ondernemer!'

Noot voor de redactie

Voor meer informatie over Fleur Kriegsman en www.hipvoordeheb.nl en voor beeldmateriaal neemt u contact op met Hyperz PR, Suzan Eikelenstam, telefoon ..., e-mail ...

Verstuur je nieuws naar de juiste media

Je doet er goed aan om een flink adressenbestand aan te leggen met daarin de namen en telefoonnummers plus de e-mailadressen van journalisten en redacteuren. Dit bestand deel je in rubrieken in. Zorg ervoor dat je altijd eerst kijkt naar het onderwerp van je persbericht en stuur het niet klakkeloos naar iedereen in je bestand. Iemand die voor een sportblad schrijft, wil niet schrijven over de lekkere cupcakes die jouw webwinkel verkoopt. Stuur deze journalist één keer het verkeerde persbericht, en hij gooit het weg. Stuur je hem twee keer een persbericht waar hij niets mee kan, dan heb je hem officieel geïrriteerd. Het kan zijn dat je op een spamlijst terechtkomt en zo kun je het dus voor jezelf verpesten. Spreek je een keer een redacteur of een journalist, bijvoorbeeld tijdens een interview? Vraag hem of haar dan voor welke media hij of zij misschien nog meer werkt en of het op prijs wordt gesteld als je persberichten blijft sturen. Vaak vertellen ze je dan vanzelf over hun interesseveld, of ze geven je zelfs het e-mailadres van hun collega's!

Pr-stunt

Soms is een persbericht alleen niet genoeg. Ben je ergens mee bezig waarvoor je in één keer heel veel publiciteit wilt, dan zul je je creatieve talenten moeten aanboren om een pr-stunt te bedenken en uit te voeren. Zo haalde een van mijn opdrachtgevers ooit de landelijke media toen hij personeel wierf door ze uit te nodigen bij autodealers. De sollicitatiegesprekken vonden plaats in de showroom. Werd een sollicitant aangenomen, dan kon hij zijn nieuwe arbeidsovereenkomst ondertekenen op de motorkap van zijn nieuwe leaseauto. Het doel van mijn opdrachtgever was toen zo veel mogelijk mensen te werven voor de sollicitatiedagen, dus hij wilde in één keer veel mensen bereiken. Dat kan met behulp van de media. Mijn opdrachtgever slaagde in zijn opzet. Toen er een artikel over zijn stunt in *De Telegraaf* stond, werd een aantal showrooms zo druk bezocht dat er files ontstonden.

Een andere relatie verzon dat hij voor het 9-jarig bestaan van zijn bedrijf gedurende 9 minuten zijn onlinebezorgmaaltijddiensten gratis beschikbaar zou stellen. Gedurende 9 minuten konden alle Nederlanders gratis pizza, kebab, sushi en ander lekkers bestellen. Ook de bezorging was gratis. En natuurlijk zorgde hij er met een goed persbericht voor dat iedereen die het maar horen wilde van de actie op de hoogte werd gebracht. Zijn pr-stunt haalde de radio, verschillende kranten en ongeveer alle nieuwssites.

Een goede pr-stunt is makkelijk te begrijpen voor grote groepen mensen, is goed uitvoerbaar (door bijvoorbeeld mensen uit je eigen netwerk in te schakelen) en is bij voorkeur niet al te kostbaar. Je weet immers niet of je plan zal aanslaan. Succes!

Socialmediasites als Hyves, Facebook, Myspace en Twitter kun je inzetten als gratis pr-kanalen. Je kunt er immers kosteloos gebruik van maken en je kunt er bijna alles op zetten wat je wilt: foto's van je producten en speciale acties zoals 'alle Hyves-vrienden krijgen kortingscode 1234', of 'retweet dit bericht naar zo veel mogelijk followers en win een tas!'

Je kunt ook zo vaak als je wilt links naar je webwinkel plaatsen, in blogs, fotoverslagen, e-mailings en tweets. Met social media bereik je meer mensen dan met je webwinkel alleen. Daarnaast krijgen de mensen die lid worden van jouw Hyves, personen die je 'vrienden' worden op Facebook & Myspace en internetshoppers die je followers worden op Twitter een beetje het gevoel dat ze betrokken zijn bij jouw bedrijf. Ze horen immers ergens bij en krijgen alle nieuwtjes over je webshop als eerste.

Als je een 'socialmediastrategie' voor jezelf bepaalt, kun je er alles uit halen wat erin zit. Zorg er bijvoorbeeld voor dat de internetpagina's op jouw Hyves-, Twitter-, Facebook- en Myspace-pagina dezelfde uitstraling hebben als je webshop. En plan bepaalde regelmatig terugkerende acties. Weten je 'fans' dat er elke week een goede socialmediadeal voorbijkomt, dan houden ze je pagina en je webwinkel in de gaten! Een goed voorbeeld hiervan is de Schitter Twitter, bedacht door de eigenares van Kijkbijfrancine.nl. Zij plaatst elke week een actietweet waarbij ze een meubelstuk bijna tegen inkoopprijs aanbiedt. Het levert haar veel followers en dus bezoekers van haar webshop op.

Denk na voor je iets roept op het net

Het enorme bereik van het internet is natuurlijk een fantastisch iets. Online is iedereen uitgever of publicist, hoe je het ook wilt noemen, iedereen met een internetaansluiting en een computer kan binnen twee seconden iets de wereld in slingeren en miljoenen mensen kunnen zien wat één persoon heeft gezegd of gedaan.

Internet is ook anoniemer dan een situatie waarin mensen tegenover elkaar staan en elkaar kunnen zien, horen en aanraken. Hierdoor durven veel personen online meer te zeggen en te doen dan in de driedimensionale wereld.

Het immense bereik en de betrekkelijke afstand van het internet bieden naast legio voordelen ook nadelen. Zo wordt alles wat je zegt en doet altijd ergens vastgelegd. Stel, je plaatst een blog op een site als Hyves. Later bedenk je dat je er wat dingen in hebt vermeld waar je spijt van hebt. Je haalt de blog weg. Maar ja, de letters die jij hebt getypt, staan ergens in een file op een server waar jij niet bij kunt. Ook kan jouw blog opgepikt zijn door Google. Staat er eenmaal een zoekresultaat in Google, dan krijg je het daar niet meer weg.

Online-imago

Er is de laatste tijd veel te doen om privacy op internet, om het feit dat hele volksstammen zich niet realiseren dat die privacy zó, in een mum van tijd, geschonden kan raken door onnadenkendheid van het individu zelf. Hele voorlichtingscampagnes zijn erover uitgezonden, *viral mailings* kwamen voorbij en er zijn nu zelfs bedrijven die voor je kunnen uitzoeken wat jouw online-imago is, zodat je kunt kijken of dat imago wel is wat je wilt en of je het moet aanpassen. Ik vind het een aanrader en help er graag aan mee om het bewustzijn over dit onderwerp te verhogen.

Houd iedereen zo veel mogelijk te vriend

Zeker voor jou, als toekomstige webwinkelier, is het belangrijk. Je hebt nu een rol op de voorgrond. Je bent het visitekaartje van je bedrijf. Je bent je eigen directeur of CEO. En die:

- hebben online geen politieke voorkeur
- zijn online niet religieus
- hebben op het internet geen uitgesproken mening over 'precair' nieuws
- staan online niet op foto's met een flesje bier in hun handen, of erger

- bespreken geen gevoelige zakelijke informatie op het www
- denken online extra aan hun goede manieren en blijven altijd zeer beleefd

Ook al zie je er zelf echt geen kwaad in om te twitteren dat je net hebt gebiecht bij je pastoor, of ben je heel trots op het feit dat Ajax net heeft gewonnen van Feyenoord, pas op met wat je online zet. Er zijn mensen die jouw mening niet delen, of sterker nog, die jouw mening honderd procent verafschuwen. Waarom zou je hun aan de neus hangen wat jij ergens van vindt?

Maak ook niet de fout om op een forum te uitgesproken te reageren op berichten over je webshop. Klaagt die ene lastige klant steen en been terwijl je hem of haar een fantastische service hebt verleend? Ook al voel je dat je onrecht wordt aangedaan, tel tot tien en reageer niet publiekelijk of doe dat heel erg vriendelijk en beleefd. Schrijf bijvoorbeeld dat de klant contact kan opnemen en dat je voor een oplossing zult zorgen. Er lezen namelijk misschien wel 100 andere onlineshoppers mee!

INTERVIEW: Tienerondernemer Fleur Kriegsman: 'Hoe bekender je wordt, hoe meer je omzet.'

Het jaar 2008 was het jaar van internetonderneemster Fleur Kriegsman. Een tiener die haar eigen kostje en nog wat extra's verdient met zo'n sympathiek initiatief, het sprak iedereen aan. Meer dan wat connecties en een persbericht was er dan ook niet voor nodig om Fleurs webshop een droomstart te bezorgen. Hipvoordeheb.nl werd onder jongeren en onder vrouwen steeds bekender en vandaag de dag runt Fleur een stabiel groeiend internetbedrijf met een flinke kring van vaste klanten.

'Ik heb mijn verhaal, dat begon toen ik zestien was, inmiddels al zo vaak verteld dat het eeuwen geleden lijkt, terwijl ik nog maar drie jaar bezig ben. Er is zoveel gebeurd tussen het moment dat Hipvoordeheb.nl onder het grote publiek bekend werd en nu, daar kun je je echt niets bij voorstellen,' zegt Fleur. 'Nu word ik 19, ik zit op de Hogeschool van Amsterdam en studeer Commerciële economie voor Toekomstige Ondernemers. Door mijn bedrijf heb ik al zoveel extra geleerd dat sommige colle-

Fleur Kriegsman van Hipvoordeheb.nl

ges mij nu erg meevallen! Zo weet ik al dat ondernemen leuk, spannend en winstgevend, maar soms ook moeilijk, tijdrovend en teleurstellend kan zijn. Als je een webwinkel begint, kun je daar wel boeken over lezen en kijken naar hoe anderen het doen, maar uiteindelijk kom je er vanzelf achter dat heel veel zaken afhangen van hoe jij persoonlijk ergens mee omgaat. Wil je bekend worden met je webwinkel, dan moet je bijvoorbeeld erg je best doen om het contact met journalisten op te bouwen. Stel je je bereidwillig en begripvol op, dan gunnen ze je een leuker verhaal dan wanneer je amper tijd voor ze maakt en saaie antwoorden geeft. Of je goed met de pers kunt omgaan, hangt dus voor een deel van je persoonlijkheid af. Gelukkig kun je hierop letten, en leren van fouten.'

Je kunt niet alles voorbereiden

Het was dan ook nogal wat, alles wat Fleur overkwam toen ze als puber ineens tot succesvolste jonge ondernemer van Nederland werd uitgeroepen. Dat je dan eens een foutje maakt, is onvermijdelijk, en het geeft niets. Toen de jonge onderneemster bij me kwam en vroeg of ik haar wilde helpen met een persbericht omdat ze graag wat meer bezoekers voor haar webwinkel wilde, heb ik haar natuurlijk uitgelegd wat de gevolgen konden zijn als het persbericht werd opgepakt. Ze zou meer tijd kwijt zijn, aan het beantwoorden van vragen van de pers, maar ook aan Hipvoordeheb.nl zelf. Want meer bezoekers = meer klanten = meer werk. Maar Fleur zei dat ze het begreep en dat ze er zin in had, dus we besloten het persbericht te versturen en ik zette mijn connecties in. Wat er toen allemaal gebeurde, had ik zelf echter nooit kunnen vermoeden en het tienermeisje dat het allemaal zou ondergaan al helemaal niet...

Kranten, radio & televisie – én omzet!

Fleur: 'We hadden van tevoren goed besproken wat mij mogelijk te wachten stond. Als het persbericht opgepakt zou worden, moest ik voorbereid zijn op de gevolgen daarvan. En die gevolgen kwamen! In de eerste uren na verzending zag ik dat tientallen websites het persbericht letterlijk hadden overgenomen. De volgende dag overstroomde mijn info@-mailbox en sprak Suzan – terwijl ik op school in de les zat – mijn voicemail vol met aanvragen van journalisten voor interviews. Het NOS-journaal stond op de stoep toen ik thuiskwam. In mijn roze slaapkamer gaf ik mijn eerste interview. De video stond dezelfde avond nog op de NOS-site. Mijn debuut. Ik bestierf het, zag mezelf ontelbaar veel keer 'euh' zeggen! Maar gelukkig kreeg ik er toch leuke reacties op.' De dagen erop gaf ik een paar interviews voor kranten en tijdschriften. Samen met Suzan checkte ik alle teksten voor publicatie, zodat er geen zaken in stonden die niet klopten en zodat ik op mijn best overkwam. Een bijkomend effect van al deze aandacht rondom mij en mijn webwinkel was dat niet alleen het bezoekersaantal de pan uit rees, ook de conversie verhoogde enorm. Doordat de diverse media zo positief over mij berichtten, werd klaarblijkelijk ook consumentenvertrouwen gecreëerd. Ik had meer bezoekers, maar procentueel gezien kochten die bezoekers ook meer per bezoek. Precies wat ik zocht dus, en meer.'

Eerlijkheid heeft een prijs

Het was niet alleen maar rozengeur en maneschijn. Als je plotseling met zoveel verschillende mensen te maken krijgt die van alles van je willen weten, kan het gebeuren dat je te veel verklapt. Dat overkwam Fleur ook: 'In een van de eerste interviews die ik gaf, vroeg een bijdehante journalist me om mijn omzetgegevens. Het was geen krant waar ik heel veel aan zou hebben. Mijn doelgroep zou het interview waarschijnlijk niet eens lezen. Daarnaast was mijn omzet toen voor mij als scholier heel indrukwekkend, maar voor de lezers van die krant een schijntje. De journalist was aardig en ik was trots op mijn bedrijf, dus ik gaf hem mijn omzetcijfers. Achteraf werd ik erop gewezen dat eerlijkheid erg te prijzen is, maar dat je er pr-technisch gezien zuinig mee moet zijn. Ik ben nog altijd eerlijk in interviews, maar ik denk wel drie keer na voordat ik zomaar imagobepalende informatie vrijgeef aan iemand die dit in de krant kan zetten!'

Koester je netwerk

Fleur: 'Ik heb zeker in het eerste jaar heel veel geleerd en een groot netwerk opgebouwd, waar ik nu van profiteer als ik publiciteit zoek. Daar heb ik hard voor gewerkt, ook al denken mensen soms van niet. Ik heb zeker wel enigszins de wind mee gehad. Mijn vader en moeder zijn allebei ervaren ondernemers. Bij mijn vader kan ik altijd terecht voor zakelijke tips en mijn moeder liet me in het begin bijvoorbeeld zien waar ik het best kon inkopen. Ook bedacht zij de naam Hip voor de Heb. Maar ook al was het handig dat sommige mensen me een zetje in de juiste richting gaven, ik moet het nu wel allemaal zelf volhouden. Een netwerk heb je misschien snel opgebouwd, maar je moet het ook onderhouden. Dat raad ik anderen dan ook vooral aan. Als je opzienbarend nieuws hebt, willen veel journalisten en redacteuren over je schrijven. Als je je netwerk goed verzorgt, willen ze ook over je schrijven als het een keer geen wereldschokkend bericht betreft, maar gewoon een update over je nieuwe collectie.'

Hoge bomen vangen veel wind

Heb je het geluk dat je persbericht wordt geplaatst, of dat je zelfs wordt geïnterviewd en krijg je dus je fifteen minutes of fame? Verwacht dan niet alleen jubelcommentaar van de lezers. Zeker op internet kunnen mensen anoniem alles opschrijven wat ze willen.

Fleur: 'Ik heb een dikke huid moeten kweken. In de belangstelling staan, vooral online, is dan wel belangrijk om veel bezoekers te trekken, maar soms denk ik 'leuk is anders'. Vooral als mensen commentaar gaan leveren op mij persoonlijk, terwijl de publicaties over mijn bedrijf gaan. In het begin had ik wel moeite met jaloerse reacties van leeftijdgenootjes die dan onder een artikel schreven: 'Zij krijgt zeker alles van haar pappie, zo kan ik het ook.' Mijn vingers jeukten dan gewoon om iets kattigs terug te sturen. Toch heb ik dat nooit gedaan, ik wil natuurlijk niet dat zoiets onbeduidends het imago van mijn bedrijf beschadigt. Nu moet ik lachen om dat soort teksten, ik geef alleen antwoord als het echt nodig is. Bijvoorbeeld als iemand een slechte klantervaring bij Hipvoordeheb.nl heeft gehad, om wat voor reden dan ook en dat uitgebreid in een of ander forum beschrijft. Zo'n verhaal is dan vaak heel eenzijdig, de slechte ervaring wordt enorm overdreven en mijn bedrijf wordt zowat afgemaakt. In een allerhartelijkste, professionele reactie schrijf ik dan dat ik het natuurlijk heel vervelend voor de klant vind dat zij de service of het product als slecht heeft ervaren. Ook bied ik dan een oplossing voor het probleem, bijvoorbeeld dat het product op mijn kosten teruggestuurd kan worden en wordt geruild of dat de klant haar geld terugkrijgt. En ik laat contactgegevens achter, zodat iedereen kan lezen dat ik het goed met mijn klanten voorheb en dat ik bereikbaar ben. Als er een klanthistorie van de klagende klant is, een mailwisseling bijvoorbeeld waarin ik allang keurig een oplossing had aangeboden, dan refereer ik daar wel aan, zodat mensen zien dat ik echt niet alleen met antwoorden kom als er over me wordt geschreven.'

Google Alerts: ben jij een eendagsvlieg?

Goede pr bedrijven is niet iets wat je één keer doet, om leuk in de kranten te staan. Eigenlijk moet je er continu min of meer mee bezig zijn. 'Goed in de gaten houden wat er over me wordt geschreven is voor mij belangrijk; Hyperz doet dit voor mij, maar ik maak daarnaast ook gebruik van het gratis Google Alerts. Zodra er iets wordt geschreven over Hipvoordeheb.nl, of over Fleur Kriegsman, dan krijg ik een melding en kan ik kijken of ik actie moet ondernemen. Ook zie ik hoeveel er over mijn webwinkel wordt geschreven. Na het eerste jaar, waarin ik door de televisie zo bekend werd dat ik zelfs op straat werd herkend, nam het automatische van de publiciteit af. Er werd nog wel over me bericht, maar niet zoveel als in het voorgaande jaar, toen ik door de media was 'ontdekt'. Ik zag het niet zozeer terug in de bezoekersaantallen van Hipvoordeheb.nl en ook niet in de omzet; ik had veel aan klantbehoud gedaan, dus mensen kwamen vaak terug. Maar de explosieve groei stagneerde. Om die weer aan te zwengelen moest er dus iets gebeuren. Ik zette nieuwe merken op mijn site, daar werd over gepubliceerd. En door de affiliatedeals die ik sloot, werd er online opnieuw veel over me geschreven.'

E-commerce en de media: gouden combinatie?

De voorgaande paragrafen gaan niet voor niets over hoe jij met jouw webwinkel een relatie met de media kunt opbouwen; e-commerce is een hot topic, waar veel over wordt gepubliceerd, en allang niet meer alleen in de vakbladen of op specifieke sites. De uitgevers van traditionele media maakten eerst de sprong van alleen offline naar een combinatie van online en offline en anno 2010 maken ze schoorvoetend de stap naar e-commerce. *De Telegraaf* liet Bol.com-oprichter Daniël Ropers toetreden tot zijn raad van commissarissen, waarschijnlijk omdat hij een e-commerce-expert met een enorme staat van dienst is. De krant heeft inmiddels ook een eigen webshop.

En er zijn meer uitgevers die meer doen dan alleen snuffelen aan online-koop en -verkoop. Zoals Sanoma, de grootste Nederlandse uitgever van tijdschriften. Voor *Internetgodinnen* interviewde ik Hilmar Mulder, hoofdredacteur van het populairste vrouwenblad van het moment: *Grazia*. Dit blad vierde begin 2010 de opening van een eigen webshop.

INTERVIEW: Hilmar Mulder: '*Grazia* inspireert en informeert de 360-gradenvrouw, daar hoort een webwinkel bij.'

Grazia, een concept van de Italiaanse uitgeverij Mondadori, werd in 2007 in Nederland geïntroduceerd en tegenwoordig is de uitgave een van de vier Hollandse tijdschriftentitels met een stijgende oplage, terwijl andere bladen hun oplage juist zien slinken. Ik vraag de digitaal goed onderlegde hoofdredacteur hoe de lancering van webwinkel Graziashop.nl daarbij heeft geholpen.

'Kijk hier eens,' glimlacht Hilmar als ik mij installeer voor ons interview. Ze tovert haar iPhone tevoorschijn en flits, ik sta met een foto en begeleidende tekst op Twitter. 'Suzan Eikelenstam komt mij interviewen voor haar boek over vrouwen in e-commerce,' staat er op Hilmars Twitter-pagina en er wordt ook direct op gereageerd door een van haar followers. 'Ik ben verslaafd aan mijn iPhone en aan twitteren, begin er maar niet aan,' grapt ze. Dat de modejournaliste van de hoed en de rand weet, van bladen maken én van internet, blijkt al in de eerste vijf minuten van ons gesprek. Hilmar studeerde af aan de kunstacademie, richting mode en illustratie, en ging daarna aan de slag als freelanceontwerpster van onder meer lingerie. Ze kwam bij meidenblad *Yes* terecht als illustrator en styliste. Via een functie als moderedacteur bij de bladen *Viva* en een functie als chef mode, beauty en lifestyle bij *Marie Claire* schopte ze het uiteindelijk tot hoofdredacteur van *Cosmopolitan*.

Een blad van deze tijd, voor de vrouw van nu

'Bladen maken vond ik algauw het allerleukste om te doen. Het is hard werken, maar ik haal er veel voldoening uit. Toen ik binnen Sanoma Uitgevers werd benaderd voor het projectteam dat zich in de mogelijke Nederlandse lancering van *Grazia* ging verdiepen, wist ik niet hoe snel ik 'ja' moest zeggen. Wat een bijzondere uitdaging! Een wekelijkse modeglossy, dat hadden we in ons land nog niet. Met *Grazia* kreeg ik de kans om een geheel nieuwe markt aan te boren, een nieuw publiek te bereiken. Het bleek een enorme klus. Pionieren is tijdrovend, je moet alles zelf uitvinden. Ik had alleen het internationale voorbeeld van hoe *Grazia* het in andere landen aanpakte en moest dat vertalen naar de Nederlandse markt. Maar toen ik de dummy, een soort eerste testversie van het blad, in mijn handen hield, voelde ik dat het een succes zou gaan worden. Echt een blad van deze tijd, voor de vrouw van nu, dacht ik.'

Ik wil dat jurkje. Nu

Met die vrouw van nu bedoelt *Grazia* 'de 360-gradenvrouw'. De vrouw die een drukke baan combineert met haar gezin, vrienden, sport, reizen en de broodnodige momenten voor haarzelf. 'Deze vrouw wil in haar favoriete blad lezen over de leuke dingen van het leven. En als zij dan geïnspireerd is en denkt 'dat wil ik ook!', dan wil ze het nu meteen. En dat is precies wat *Grazia* haar lezeressen wil bieden. Bergen inspiratie en informatie. Wat is hip en waar kun je het kopen. Dat bereik je niet met alleen een blad. We willen het merk blijven uitbreiden om ons publiek te bedienen. Dat doen we zowel digitaal met onze website en onze mobiele telefoonapplicatie, als live met evenementen als het *Grazia* PC Catwalk Event.'

Met e-commerce kunnen print en internet elkaar versterken

In de lente van 2010 kon *Grazia* haar eigen webwinkel Graziashop.nl aan het rijtje digitale merkexpansie toevoegen. Dat bleef in de media niet onopgemerkt. 'Bij de lancering van de webwinkel hebben we zoveel aandacht gehad dat de verkoop meteen op de eerste dag al onze verwachtingen overschreed. We zijn het eerste vrouwenblad dat niet alleen de verkoopinformatie van de in het blad getoonde artikelen biedt, maar ook een handig adres waar je jurkjes, tassen en ander modeleuks direct kunt aanschaffen. Dat blijkt niet alleen een vondst voor onze lezeressen, maar ook voor adverteerders die op zoek zijn naar nieuwe wegen om hun doelgroep te bereiken. De mogelijkheden voor *cross-selling* en een multimediale aanpak zijn eindeloos uitgebreid met de webwinkel.' Hilmar denkt dat de kans aanwezig is dat andere bladen ook snel zullen volgen met een eigen webshop. 'Deze ontwikkeling is er zo een waar je als uitgever gewoon niet meer omheen kunt. Ik vind het een eer dat wij de eersten zijn. We hopen de wereld te laten zien dat print en internet elkaar alleen maar versterken, dat het niet zo is dat internet de uitgeverij gaat overnemen, wat je nu zoveel hoort.'

De webshop als lezersservice

Grazia schakelde voor de ontwikkeling van de webshop het bedrijf Deep Store Concepts in. 'Zij verzorgen voor ons onder meer de inkoop van de webwinkel. We willen het goed doen. De hele webshop is bedoeld als een service voor de lezeressen van het blad, dus we willen een mooi, ruim assortiment met kwaliteitsartikelen bieden en de klantenservice moet ook vlekkeloos worden afgehandeld. Daarom hebben we voor een professionele partner gekozen. Dat dit werkt zien we terug in de reacties van tevreden webshopbezoekers, maar ook in het feit dat we telkens op een veel lager aantal retouren uitkomen dan we van tevoren hadden ingeschat.' Maar is het dan zo dat *Grazia* de shoppingpagina's in het blad vanaf nu alleen nog maar gaat vullen met items die op Graziashop.nl worden verkocht? 'Nee, dat zou heel dom zijn. Zowel voor de lezeressen als voor onze adverteerders kunnen we dat niet maken. Natuurlijk vind je elke week wel een paar stukken uit de Graziashop in het blad, maar nog veel meer artikelen die niet in onze eigen webwinkel worden verkocht. *Grazia* heeft vanaf de start van het blad in Nederland al veel over webshops geschreven, al was het alleen maar omdat onlinewinkels de buitenlandse merken waarover wij schrijven en die voorheen in ons land bijna niet te krijgen waren, te kust en te keur aanbieden. Denk aan de hippe Balmain-jasjes met puntige schoudervullingen; het internationale Net-a-porter.com was de eerste webshop die dit verkocht, dus daar móésten we simpelweg wel over schrijven. En er zullen de komende jaren nog veel meer goede webshops worden geopend, die wij allemaal een warm hart toedragen en waar de *Grazia*-redactie, als het goede concepten zijn, zich blauwe vingers over zal typen. We brengen immers wat onze lezeressen willen weten.'

Stap 6

Let's talk shop

Je webwinkel is tot in de puntjes klaar. Je weet hoe je aandacht voor je bedrijf kunt vragen. Misschien heb je zelfs al wat publiciteit gehad en is je bezoekersaantal naar aanleiding daarvan gestegen. Nu is het echte werk begonnen, je hebt klanten en die moet je bedienen. Zo goed dat ze terugkomen en nog een aankoop doen. Dat laatste bereik je met het verlenen van uitstekende service, die we bespreken in hoofdstuk 7. Maar er is meer dat je kunt doen om ervoor te zorgen dat kijkers kopers worden en om er eerst voor te zorgen dat er meer kijkers komen.

Meten is weten: statistieken

Dat je graag meer bezoekers wilt, zodat je meer kunt verkopen, is heel begrijpelijk. Maar, hoeveel meer bezoekers wil je dan? En kan jouw website een grotere toeloop aan zonder er traag van te worden? Voor we aan de slag gaan om mensen uit te nodigen je webshop te bezoeken, gaan we ons eerst vergewissen van een aantal zaken.

1 Hoeveel bezoekers heb je eigenlijk?

Hier kom je achter door je te verdiepen in de statistieken van je webwinkel. Feiten en cijfers over wanneer mensen jouw webwinkel hebben bezocht en waar de bezoekers vandaan zijn gekomen. Kwamen zij via Google? Een kortingscodesite? Een artikel op een modewebsite? Je kunt er ook de conversie (hoeveel bezoekers kochten daadwerkelijk iets) in aflezen, en hoeveel van je bezoekers herhalingsbezoeken hebben gebracht en op welke knoppen zij klikten.

Je begrijpt dat je met de informatie uit de statistieken veel kunt doen. Blijkt bijvoorbeeld dat bepaalde producten amper worden bekeken, dan moet je gaan kijken waarom dat is en wat je kunt doen. Ga je de route naar die producten vergemakkelijken door ze op de homepage al te tonen of gooi je ze uit je assortiment? Met de informatie uit je statistieken kun je je webwinkel doorlopend verbeteren en meten hoe succesvol je bent.

Vraag aan je hostingprovider of in je webwinkelpakket, dat je bij hem afneemt, ook statistieken zitten. Veel hostingproviders bieden dit namelijk standaard en gratis aan. Is dit niet het geval, dan kun je naar verschillende aanbieders van statistieken stappen om te vergelijken welke de beste is voor jouw webshop. Een Nederlandse leverancier vind je op www.nedstat.nl, of op www.onestat.com. De meeste webwinkeliers die ik ken maken echter gebruik van Google Analytics. Dat is gratis en eenvoudig. Je hebt alleen een Google-account nodig, maar die maak je in een paar muisklikken op basis van je e-mailadres. Als je wilt kijken hoe jouw Google Adwords-campagnes het doen, en of je SEO-tactieken hebben gewerkt, kun je dat ook het best bekijken met techniek van Google. Zij zijn immers gehouden je eerlijke informatie te bieden.

2 *Van welke bezoekers wil je er meer?*

Nu je weet hoeveel bezoekers je hebt en waar ze vandaan komen, hebben we een uitgangspunt voor onze acties om meer bezoekers naar je webwinkel te lokken. Als het goed is heb je nu kunnen zien van welke soort bezoekers je er veel hebt en welke aantallen volgens jou omhoog moeten. Met die behoefte in je achterhoofd ga je nu stappen ondernemen om deze bezoekers te bereiken en om ze uit te nodigen voor een bezoek aan je webshop.

3 *Hoeveel meer bezoekers kan jouw website aan?*

Vraag je webbouwer en je hostingprovider of je website een flinke toename van bezoek wel aankan of dat je misschien moet uitbreiden qua capaciteit. Vraag naar piekbelasting en naar een continue verhoging van traffic. Het laatste wat je wilt is bezoekers uitnodigen een kijkje te nemen en ze dan teleur te moeten stellen omdat je site door het extra bezoek zo traag wordt dat hij niet meer goed werkt, of zelfs uit de lucht gaat.

Actie: meer bezoekers trekken

In het voorgaande hoofdstuk heb ik al uitgebreid geschreven hoe je jouw doelgroepen bereikt door lawaai te maken met persberichten, Google Adwords-campagnes, kortingscodesites en affiliate marketing. Ze bereiken is één ding, ze over de streep trekken een tweede.

Hoewel je met alle tips in dit boek heel veel kunt ondernemen om het een en ander voor elkaar te krijgen, garantie heb je nooit. Neem maar eens een willekeurige internetter in gedachten. Ze zit op haar werk en verveelt zich, het is bijna lunchpauze. Ze checkt haar privémailbox en ziet jouw superleuke, hippe nieuwsbrief met een kortingsactie die haar op het lijf geschreven lijkt. Dat heb je dus goed gedaan, je hebt haar bereikt en ze is nu nieuwsgierig. Net als ze op de link in je nieuwsbrief wil klikken om naar je webwinkel te gaan, komt die leuke collega waar zij al een tijdje een oogje op heeft, haar vragen of ze met hem wil lunchen. Als je mazzel hebt, denkt ze: ik kijk vanavond wel even bij die webshop, maar de kans is groot dat ze het vergeet. Dus: laat zeker niet na om te proberen meer bezoekers aan te trekken, per actie verhoog je je kansen op een grotere kring van misschien wel terugkerende kopers. Ik ga je hier geen droge opsomming van adviezen voorschotelen, maar laat een paar succesvolle internetonderneemsters je vertellen hoe zij hun gigantische bezoekersaantallen voor elkaar hebben gebokst. Een van hen kreeg het zelfs voor elkaar dat Lady GaGa (!) haar aanbeval bij haar 5.475.450 Twitter-volgelingen...

Lara de Graaf, Ydence.nl

'Grote budgetten om iets heel bijzonders te doen had ik in het begin nog niet, maar soms hoeft het ook niet zo heel spectaculair te zijn om toch te slagen. Samen met het pr-bureau bedacht ik winacties – die mij niet meer kostten dan een paar artikelen uit mijn webshop – die we koppelden aan bepaalde doelgroepsites. Zo organiseerden we een winactie op de populaire meidensite Girlscene. Voor alle partijen interessant, want Girlscene kon haar vaste bezoekers blij maken met een leuk prijzenpakket en ik kreeg door het artikel op de site in één keer honderden bezoekers uit een voor mij belangrijke doelgroep. Die week steeg mijn omzet dan ook aanzienlijk. Na deze actie bleef ik meer bezoekers houden dan ervoor, dus het was in alle opzichten een geslaagd plan.'

Fleur Kriegsman, Hipvoordeheb.nl
'Om meer bezoekers te krijgen mailde ik naar alle voor mij belangrijke sites of ze een stukje over mijn webshop wilden schrijven, met een link erin. Ik vroeg hun welke tegenprestatie zij dan van mij zouden verwachten. Sommige reageerden niet, andere kwamen met belachelijke voorstellen, maar er waren er ook veel die heel leuk reageerden en die voor niets een stukje schreven of die een paar oorbellen of iets anders kleins vroegen. Al die online-artikeltjes hebben me flink wat extra bezoekers opgeleverd. Als mensen al online zijn en ze zien iets leuks voorbijkomen, dan klikken ze erop, zo simpel is het.'

Bianca de Winter, Partyatseven.com
'Toen ik mijn webwinkel www.partyatseven.com startte, heb ik alle traditionele middelen aangewend om bezoekers te attenderen op deze nieuwe, leuke shopsite. Natuurlijk vertelde ik het vrienden en bekenden. Via Hyperz stond ik in *de Volkskrant* en in *Textilia*, we verstuurden een persbericht en *goodie boxes* met leuke Partyatseven-artikelen naar de media. Maar de grootste stap heb gezet ik met het aanboren van een fysiek verkoopkanaal. De Bijenkorf ging een deel van de collectie van mijn merk verkopen. Een reseller met zo'n naam, zoveel grote verkooppunten en zo'n drukbezochte website doet wonderen voor je bezoekersaantallen, geloof me.'

Serena Verbon, Beautylab.nl
'Ik maakte YouTube-filmpjes waarin ik mensen leerde hoe ze bepaalde make-up of andere beautyproducten die ik verkocht in mijn voormalige webwinkel het best konden gebruiken. Onder het filmpje stond altijd een link naar mijn site, hierdoor kreeg ik veel bezoekers. Ik heb ook een succesvolle blogpagina en die is door een YouTube-actie zó groot geworden dat ik zelfs tijdelijk met de webshop ben gestopt om daar meer tijd aan te kunnen besteden. Het is een droomverhaal.

Ik volg Lady GaGa op Twitter, zij tweet altijd superinspirerende modefoto's. Ze tweette ook een hele gave foto van haar kapsel uit de toen nog te lanceren videoclip *Telephone*. Ik kon niet wachten om meer van dat kapsel te zien. De dag dat de video wereldwijd voor het eerst te zien was, zijn mijn nichtje en ik met onze camera in de weer gegaan. We wilden kijkers laten zien hoe je het kapsel en de make-up van Lady GaGa in deze videoclip kunt nabootsen. Het werd een grappig filmpje, met Lady GaGa's muziek eronder. We zetten het filmpje nog dezelfde dag online. Het werd direct door honderden YouTube-bezoekers bekeken. De volgende dag checkte ik de reacties, waren het er meer dan 300. Het filmpje was 300.000 keer bekeken. Weet je waardoor? Lady GaGa had in hoogsteigen persoon over mijn filmpje getwitterd. Het resultaat? Ik zat ineens bij Giel Beelen van 3FM en bij RTL Boulevard om mijn verhaal te vertellen en ik ben van 50.000 unieke bezoekers per dag naar 150.000 gegaan.'

Kijken, kijken, niet kopen? Niet in jouw shop!

Wordt er over jouw webwinkel getweet en gekrabbeld? Lopen de bezoekers de digitale deuren plat? Dat voor elkaar krijgen, is heel knap. Maar hoe zit het met je verkopen? Want, laten we eerlijk zijn, bij de Efteling vinden ze een hoog bezoekersaantal ook top, maar ze doen er nog meer hun best voor om die bezoekers zo veel mogelijk broodjes, drankjes en Efteling-merchandise in te laten slaan.

Je hebt geïnvesteerd, en hoeveel tijd en/of geld je er ook in hebt gepompt, het zou fijn zijn om minimaal quitte te spelen. Als dat niet in de eerste maanden, en zelfs niet in het eerste jaar gebeurt, is er (misschien) nog geen man overboord, maar je moet wel uitzicht op goede verkopen hebben. Anders zijn al je inspanningen nobel, maar zonder resultaat geweest.

Als bezoekers van je webwinkel ook daadwerkelijk iets kopen en afrekenen, dan noem je dat converteren. Daar kun je zelf veel aan doen. In deze paragraaf bespreek ik de belangrijkste dingen die je moet weten om de conversie van jouw webshop te verhogen. Maar ook hier geldt weer: er zijn geen garanties. Je bent voor een klein deel afhankelijk van geluk en voor het overgrote deel van jezelf. Uit recent wereldwijd onderzoek is gebleken dat bezoekers bepalen of ze tot aankoop overgaan aan de hand van de volgende punten, in volgorde van belangrijkheid:

1. Artikelprijs en verzendkosten/overige bijkomende kosten duidelijk vermeld
2. Webshop ziet er geloofwaardig en betrouwbaar uit
3. Op de homepage worden producten getoond
4. Webshop ziet er aantrekkelijk uit
5. Het winkelmandje toont de werkelijke totale kosten
6. De webwinkel heeft een zoekveld
7. De webwinkel heeft een goed privacystatement
8. Er staan klantervaringen in een gastenboek en reviews bij de producten
9. Er is een onlineservicedesk (livechat)
10. De webshop is te vinden in sociale netwerken als Hyves, Facebook en Twitter

Voldoet jouw webwinkel aan deze punten, maar wil je meer doen om de conversie van je webshop te verhogen?

Leer van je statistieken en omzetrapportages

Zoek eens uit wat de populairste producten in je webshop zijn. Waardoor dat komt, hoef je niet te weten, maar zoek snel uit of het product er ook in andere kleuren, vormen en maten is, koop het in en bied het aan. Maak daar ook een showtje van. Zet in je nieuwsbrief, op Twitter en andere social media en op je homepage: 'Product X nu ook verkrijgbaar in roze, geel en blauw. Exclusief bij ...'. Op de productpagina van dat ene populaire product voeg je toe: 'Bekijk dit product ook in kleur X en formaat Y.' Want die ene kijker die het truitje in roze bij nader inzien toch niet zo geweldig vindt, kan het zomaar meenemen als hetzelfde truitje in blauw wel haar smaak is.

Wat kun je uit de zoekmodule van je site opmaken?

Ook een inkopper, maar je moet het even weten: als er elke week tien bezoekers komen die in jouw zoekveld 'model X' van een bepaald product intypen en het zoekresultaat is nul omdat jij alleen model Y verkoopt, dan zijn ze weg en is het verstandig om heel snel ook een paar exemplaren van model X aan te bieden. Die zoekmodule heb je niet alleen om je klanten wijzer te maken...

Speel met weggevertjes

Sommige dingen moet je gewoon eerst proberen om te kijken of het wat voor je is. Voor jou als webwinkelier geldt dat zeker. Wat voor de ene webshop werkt, kan voor de andere een grote sof blijken. Een klein weggevertje kan een potentiële koper net over de streep trekken. Denk aan gratis verzenden, gratis luxe cadeauverpakking, gratis bijpassend accessoire, twee voor de prijs van één, koop nu en ontvang een gratis cadeaubon t.w.v. 20 euro. Bied mensen extra waar voor hun geld en ze zijn intens gelukkig met hun 'koopje'. Wat je ook weggeeft, zorg ervoor dat het opvalt dat je dat doet en dat het niet gebruikelijk is in jouw webshop. Nu of nooit, dat idee moet de bezoeker krijgen. Kondig je actie weer overal aan, maar vooral op de productpagina, naast de prijs. In deze fase van het websitebezoek is de bezoeker namelijk al 'koopgraag'.

Vermeld een tijdslimiet bij acties

Voer je acties zoals prijsvragen of 'mail & win', of houd je gewoon 'uitverkoop'? Vermeld altijd een tijdsbestek waarin de bezoeker moet beslissen tot het al dan niet doen van een aankoop. Het werkt nu eenmaal zo dat schaarste aantrekkelijker maakt, dus maak daar gebruik van. Dagaanbiedingensites als iBOOD (Internet's Best Online Offer Daily) hebben hier hun corebusiness van gemaakt. Op veel van dit soort sites zie je zelfs een digitale klok die het aantal uren, minuten en seconden dat de aanbieding nog geldig is aftelt.

Wees attent voor je klanten

Als webwinkelier heb je vaak altijd wel ergens een actie lopen. Is het niet bij een magazine, dan wel bij de een of andere doelgroepsite. Geef je hier flinke kortingen (en de partij waarmee je deze deal hebt afgesproken heeft er geen problemen mee), maak bij de productpagina dan melding van deze actie en vertel de bezoeker dat hij – als hij de kortingscode op site X – even opzoekt, ook kan profiteren van 20 procent korting. Komt de klant hier pas achter als hij de volle mep heeft betaald, dan is zeker dat hij dit niet leuk zal vinden en kan hij besluiten om niet nog eens bij je te kopen maar vooral elders eerst naar acties te speuren.

Laat merken dat je verstand hebt van je producten

Net als in een fysieke winkel vinden je klanten het fijn als ze merken dat je weet wat je verkoopt. Ze denken: als er iets mee is kan ik altijd teruggaan om het te vragen. Plaats dus de juiste productspecificaties, maak geen fouten in namen (en al helemaal niet in productnamen of modeltypes) en maak de productomschrijving zelf. Als je schrijft: 'Deze digitale camera is hier aangeschaft door personen met ambities voor serieuzere amateurfotografie en zij waren met name tevreden over de lens van het type ABC en de afneembare flitser…' dan roep je veel meer vertrouwen bij de koper op dan wanneer je het promotiepraatje van de fabrikant overneemt. Zeker bij *specialty*-producten zoals deze kun je er vergif op innemen dat de webshopper die jouw site bezoekt, ook de site van de fabrikant en nog eens tien fora heeft gezien om onderzoek te doen. Verras hem!

Doe ook eens wat voor niets

Zie je in je info@-inbox serieuze vragen van bezoekers over jouw webwinkel of over bepaalde producten, probeer deze vragen – ondanks drukte, geen zin – altijd meer dan goed te beantwoorden. Waar kan de potentiële klant iets vinden? Plaats even een link. Wat kost het als hij er 10 bestelt in plaats van 1, maak een leuke speciale aanbieding. Ook al leidt het niet direct tot een aankoop, hoe beter je de bezoeker van dienst bent, zonder daarvoor iets in rekening te brengen, hoe beter je wordt onthouden. Is een klant bijvoorbeeld alleen maar op zoek naar een hoesje voor om een sieraad, stuur dat dan gewoon gratis toe. Wedden dat je later voor je vriendelijkheid wordt beloond?

INTERVIEW: Marianne van Leeuwen van Netalsindefilm.nl naar Welikefashion.com en Sisteract

Marianne van Leeuwen startte haar eerste e-commercesite al toen wij TellSell (telefonische aankoop naar aanleiding van slechte commercials op televisie) en ISDN (tegelijk telefoneren en internetten) nog heel spannende concepten vonden. Terwijl er nog hele bossen sneuvelden om de papieren catalogi voor postorderbedrijven te drukken en vele computers er nog een paar minuten over deden om een site te laden, boog startende onderneemster Marianne zich al over het design van Netalsindefilm.nl. Bij het samenstellen van dit boek was de naam van Marianne een van de eerste die vanuit mijn netwerk werden getipt. Ik interviewde haar over bezoekers aantrekken, en ze verleiden om een aankoop te doen.

INTERVIEW: Marianne van Leeuwen: 'Focus op het winkelplezier van je klant en de transactie komt vanzelf.'

Marianne van Leeuwen is een Nederlandse internetondernemer van het eerste uur. In de kolossale, lichte kantoorruimte die Sisteract deelt met een paar andere bedrijven, maait ze wat spullen van een vergadertafel, maant me te gaan zitten en zegt: 'Zo, ik ben er klaar voor, wat is je eerste vraag?'

'Hoe je op het idee voor Welikefashion.com bent gekomen,' steek ik van wal. Marianne startte in 2002 de eerste Nederlandse webwinkel waar je 'Celebrity Fashion' kon kopen, kleding en accessoires die je in televisieseries als *Goede tijden, slechte tijden*, en in de bladen zag, gedragen door populaire beroemdheden. Deze webwinkel, Netalsindefilm.nl geheten, was sowieso een van de eerste Nederlandse webwinkels die kleding verkochten. Mariannes concept, kleding die leek op de designeroutfits uit modetijdschriften online verkopen, werd door velen met argusogen gadegeslagen.

'Wees de eerste met iets nieuws'

Hoe haalde ze het in haar hoofd? Kleding moet je toch passen voor je het koopt? Marianne: 'Ik was niet geheel onervaren op het gebied van internetverkoop en vrouwen. In 1998 heb ik samen met mijn zus Barbara 'Miepkniep' gestart, de eerste onlineprijsvergelijker van Nederland. We hebben keihard gewerkt en gaandeweg veel geleerd; over de markt, die toen erg in opkomst was, maar ook over ondernemen en investeren in je ideeën. Over volhouden. Toen ik met Miepkniep begon, had ik geen rooie

Marianne van Leeuwen van Netalsindefilm.nl, Welikefashion.com en Sisteract

cent. Ik investeerde in de vorm van tijd, enthousiasme en energie. Zo stak ik bijvoorbeeld alleen al hele dagen in het regelen van free publicity voor de site. Mailen, bellen en praten als Brugman om journalisten en redacteuren te overtuigen dat Miepkniep heel leuk was voor een stukje in de krant of een tijdschrift. En dat lukte, omdat we de eersten waren met zo'n site, het was uniek. Netalsindefilm.nl ontstond uit datzelfde enthousiasme. Ik las een Engels artikel over een succesvol concept dat 'As seen on screen' (is het huidige Asos.com, red.) heette en ik beet me erin vast. Miepkniep hebben we uiteindelijk verkocht, waardoor ik alle tijd had voor Netalsindefilm.nl. Zoiets had je hier toen nog niet, dus ik had weer een gat gevonden waar ik in kon springen. Ik geloof dat je alleen succesvol kunt worden door origineel te zijn. De eerste, met iets unieks.'

'Fouten maken en ervan leren is ook investeren'

Door haar ervaringen met Miepkniep was Marianne voorbereid op een startperiode van keihard werken en veel investeren. 'Barbara kwam me ook met Netalsindefilm.nl weer helpen, net als bij Miepkniep. Nu hadden we echter een investeerder aangetrokken en we hadden Miepkniep verkocht, dus er was wel een beetje geld. Dat was fijn, want we wilden deze keer professioneel starten. Maar een vetpot was het echt niet. In 2002 stond de onlineverkoop van kleding nog in de kinderschoenen, alle kennis op dit gebied moesten we dus al doende vergaren. Dat sommige artikelen online super verkopen en andere héél slecht, dat hebben wij met vallen en opstaan geleerd. We gingen voor het eerst inkopen, wisten wij veel. Hierdoor konden we een groot deel van onze eerste collectie bijna in zijn geheel weggooien. We organiseerden sale op sale. De laatste spullen, die zelfs in de uitverkoop niet werden verkocht, gaven we maar weg. We leerden dat spullen die je online wilt verkopen, minimaal een beetje bijzonder, of moeilijk verkrijgbaar moeten zijn. Ga je basics, zoals witte T-shirts verkopen, verwacht dan niet dat je snel rijk zult worden, want voor goedkope witte T-shirts gaan mensen gewoon naar de HEMA om de hoek. En probeer wit maar eens goed te tonen op een site met een witte achtergrond, die overal op helder verlichte beeldschermen wordt getoond. Wij richtten ons in het begin ook op een doelgroep die bij de soaps en de jongerenbladen hoorde, meisjes van 13 tot 18 jaar. Al snel stapten we over naar een wat oudere doelgroep; vrouwen tussen 25 en 40 jaar hebben meer te besteden. Ook veranderden we – in het kader van internationalisering – de naam in Welikefashion.com. Dat was de start van de site die nu zo bekend is.'

Het geheim van Welikefashion.com

Marianne legt uit dat succes dikwijls in kleine verbeteringen schuilt, en dat dit een doorlopend proces moet zijn. 'Tussen grote veranderingen door werkten we ook hard aan geleidelijke verbeteringen, die volgens mij uiteindelijk het grote succes van Welikefashion.com zijn geworden. We kregen meer inzicht op het gebied van inkopen, dus de collectie werd steeds beter, steeds uitgebreider en steeds meer afgestemd op de vraag van onze klanten. De website was ook continu aan verbetering onderhevig. We onderzochten wat vrouwen willen als ze online shoppen en brachten onze bevindingen in praktijk. Verder deden we heel veel aan onlinemarketing en public relations, ook weer heel erg gericht op de vrouwelijke doelgroep. Daardoor kregen we veel traffic, bezoek van de mensen van wie we het moesten hebben. Dat die vrouwen dan uiteindelijk ook kopen, zit 'm in wat je biedt als zij eenmaal op jouw site zijn beland. Het geheim van goede klantenbinding zit in het contact houden met je klanten, in acties organiseren, maar ook in hun totale winkelervaring bij jou. Wij hadden telkens in gedachten: hoe maken we het winkelen bij Welikefashion.com nóg fijner? Want het doel moet niet zijn dat elke vrouw gelijk iets bij je koopt. Je doel is haar te verrassen, haar te inspireren, haar op prettige wijze in je webshop te laten rondstruinen, zodat ze – overtuigd van hoe leuk het in jouw webwinkel is –nog eens terugkomt en dan wel iets koopt.'

Mariannes tips

- Vrouwen zijn bezige bijtjes; we vergeten je! Blijf in ons geheugen met een goede nieuwsbrief vol shoppinginspiratie.
- Vrouwen willen verleid worden, ook als we niet direct op een aankoop uit zijn. We vergelijken jouw webwinkel eerst met die van iemand anders en komen alleen terug als we jou de beste aanbieder vinden. En wij beslissen over ruim 80 procent van alle aankopen die er worden gedaan. Zorg daarom voor een mooie én gebruikersvriendelijke webwinkel met een onderscheidend assortiment. Je koopt zelf toch ook niet in een of andere aftandse winkel?
- Wij hebben een geheugen als een olifant. Je kunt ons heus wel eens het verkeerde product toesturen, of te laat zijn met je levering, maar vergeet nooit je fout te erkennen, je excuses aan te bieden en het goed te maken. Anders komen we nooit meer terug.
- Vrouwen houden van praten, van goede communicatie. Houd ons, je klanten, goed op de hoogte van alles wat er met onze (mogelijke) aankoop gebeurt. Komen die leuke schoenen waar we bij elk bezoek naar kijken maar die we niet kopen in de uitverkoop? Komt ons pakket een dag eerder of later? Mail ons en je kunt nog eens een potje breken.
- Wij houden van de uitverkoop en van alle acties die je maar kunt bedenken en die met korting of een goede deal te maken hebben. Want dan kunnen we tegen onze man/vriendinnen zeggen dat het 'echt een koopje' was. Verras je ons met acties, dan heb je en houd je onze aandacht.
- Wij vinden social media helemaal je van het en twitteren, facebooken en hyven ons suf. Zorg dat jouw webwinkel ook op www.twitter.com, www.facebook.com en www.hyves.nl te vinden is. Het kost je niets en je bereikt ons vaak zelfs rechtstreeks op onze mobiele telefoon.
- Vrouwen zijn dan wel kritisch, maar als je het goed doet kunnen ze wel echte fans van je worden – en vertellen ze aan al hun vriendinnen dat ze ook bij jou moeten kopen.

'Je zult weinig omzettoppers ontmoeten die het makkelijk hebben verdiend'
Op mijn vraag wat Marianne vindt van de hype rondom e-commerce en het feit dat zoveel vrouwen ervan dromen om hun eigen webwinkel te starten, antwoordt ze: 'Natuurlijk is e-commerce een hype. Deze markt zal voorlopig blijven groeien, er liggen nog zoveel kansen voor het oprapen. En dat steeds meer vrouwen in deze branche aan de slag willen, begrijp ik ook, want vrouwen hebben verstand van shoppen en ze vinden het leuk. Waarom niet die twee combineren met je baan en je gezin? Of er je broodwinning van maken?

Het internet biedt volop mogelijkheden. Er zijn allerlei initiatieven waarmee je eenvoudig en snel aan de slag kunt, zoals de concepten van bedrijven als mijnWinkel.nl. Maar soms lees je, net als tijdens de eerste internethype, van die cowboyverhalen over snel rijk worden met een webwinkel. Dat is onzin. Als dat je doel is, zul je heel wat geduld moeten oefenen, heel veel moeten investeren en heel hard moeten werken. Net als in elke andere branche trouwens. Je moet je best doen en het liefst ook de beste zijn, wil je tot de groten gaan behoren. In *Internetgodinnen* verwacht ik straks te zien dat de andere top-e-commercevrouwen die zijn geïnterviewd dit beamen. Ik heb dit zelf zo ervaren en ik hoor het elke dag weer van de klanten van Sisteract.'

Sisteract
Marianne en haar zus verkochten Welikefashion.com na de webshop (en een gelijknamige fysieke winkel) tot een blijvend succes te hebben gemaakt. 'We kregen het te druk en er stonden goede mensen klaar om het van ons over te nemen,' verklaart Marianne. Zij stortte zich volledig op haar bloeiende marketingbureau Sisteract. Zus Barbara stapte hier later uit. Sindsdien staat Marianne alleen aan het roer, maar heeft zij een team van vrouwelijke professionals aan haar zijde om haar opdrachtgevers te bedienen. 'Sisteract helpt merken om effectief te communiceren met vrouwen. We hebben een focus op interactieve media. Alle kennis en ervaring die ik in mijn e-commercetijd heb opgedaan en nog steeds opdoe, deel ik met onze opdrachtgevers. Met hen samen zetten wij hele sterke webshops in de markt. Zoals die van LaDress, die ook in dit boek staat.'

Stap 7

Sales is geld verdienen, service is blijven bestaan

Tot nu toe zijn we vrijwel alleen maar bezig geweest met feiten en cijfers, met het bouwen aan je webwinkel en aan de bekendheid ervan, en met verkoop. Ik gaf je tips voor de *kickstart* van je eerste omzetten, om zo snel mogelijk de kassa van je webshop te laten rinkelen. Om je op weg te helpen heb ik je eerst kennis laten maken met de overwegend harde kanten van het ondernemen.

In dit hoofdstuk gaan we het weer even hebben over de wat zachtere kant van bedrijfsvoering, die evengoed zeer belangrijk is voor het slagen van je webshop. Je leest in de volgende paragrafen alles wat je moet weten over het verlenen van service en het belang daarvan voor het voortbestaan van je bedrijf.

Sommigen van jullie zullen ware topverkopers blijken en de ene na de andere slimme actie op touw zetten om meer omzet te draaien. Maar hoe ga je om met retourzendingen en klachten? Als de ene na de andere internetshopper met een slechte ervaring je webwinkel verlaat, kan dat zomaar eens op een forum terechtkomen en dan zie je je toeloop van bezoekers en daarmee je omzet als sneeuw voor de zon verdwijnen. Je moet er toch niet aan denken dat er onder een leuk artikel over je webwinkel ineens allemaal negatieve reacties over je waardeloze service worden geplaatst?

Goede service en het continu bewaken daarvan is een drijvende kracht achter alle succesvolle webshops die in dit boek voorbijkomen. Maar wat is nu precies goede service? Wat de een als fijne service ervaart, vindt de ander maar matig. Ik geef je enkele adviezen waarmee je in ieder geval de basis van een goede serviceorganisatie op poten zet. Tineke Sluiter, eigenares van de bekende webshop Orangebag.nl, doet er nog een schepje bovenop door te vertellen hoe ze bij Orangebag.nl met hun klanten omgaan. Toen ik wilde weten wat de beste webwinkels van Nederland waren, werd Tinekes bedrijf door velen uit mijn netwerk genoemd. Wat bleek? Orangebag.nl wordt door honderden webshoppers geroemd om de persoonlijke, handgeschreven kattebelletjes die Tineke bij ieder pakketje stopt. En om wel meer natuurlijk, maar hiermee valt ze erg op.

Als je dit hoofdstuk hebt gelezen en met de geboden informatie je voordeel doet, kun je er alleen nog maar iets heel moois van maken qua service. Hoe mooi, dat bepaal je als ondernemer met een eigen webwinkel helemaal zelf.

Maak het tastbaar

Dat jij goede kwaliteit en een hoogstaande service biedt, moeten klanten niet alleen online in de webwinkel zien als ze aan het shoppen zijn, maar ook daarna, als ze je een vraag hebben gesteld of als ze iets hebben besteld. Een manier om je doelgroep er echt van te overtuigen dat jij een serieuze webwinkelier bent, die het beste met haar klanten voorheeft, is proberen om je kwaliteitsniveau en mate van klantgerichtheid zo tastbaar mogelijk te maken. Ik zal dit nader toelichten.

Online zien mensen jouw mooie website, met goede productfoto's, duidelijke teksten, aantrekkelijke prijzen et cetera. Alles volgens het boekje. Maar ja, zeiden we vroeger 'papier is geduldig', nu weten we allemaal dat je je op het internet ook keurig kunt voordoen terwijl de werkelijkheid tegenvalt. Ook al bied jij echt geweldige service en topkwaliteit, dat kan de bezoeker niet ruiken of voelen, maar wat let je om een bezoeker die haar contactgegevens heeft ingevuld bij haar vraag aan jouw klantenservice echt blij te maken door haar even te bellen? En als iemand twijfels heeft over een bepaalde stof even een stukje van die stof op te sturen? Of een monster van een geurtje? Een mailtje sturen waarin je vragen duidelijk beantwoordt en bijvoorbeeld meerdere oplossingen aanbiedt, doet ook al wonderen.

Laat je huisstijl voor je spreken

En er zijn nog meer tastbare zaken waarmee je kunt laten zien wat je in huis hebt. Het is bijvoorbeeld aan te raden om het design van je webshop door te voeren in:

- visitekaartjes met je contactgegevens
- *compliment cards*
- actieflyers
- verpakkingsmateriaal

In een huisstijl leg je vast: je bedrijfskleuren, je bedrijfslogo, het lettertype dat je altijd gebruikt (font) en eventueel een beeldmerk. Het tastbaarste wat klanten en bezoekers van jou kunnen krijgen, is een prachtig pakketje op hun deurmat met óf de gevraagde informatie of samples óf hun bestelde artikel. Hoe onderscheidender jouw huisstijl, hoe mooier het pakketje, hoe hoger jouw kwaliteitsbeleid en je servicegerichtheid worden ingeschat.

Het leven is hard, de wet ten aanzien van je retourbeleid ook

Het is hét voordeel voor de consument en dé bron van irritatie voor elke webwinkelier: de huidige Wet Koop op Afstand (die nog dateert uit 2001) is, als het op retourzendingen aankomt, overwegend in het voordeel van de consument ontworpen.

De belangrijkste regel is: de consument heeft recht op 7 werkdagen bedenktijd vanaf het moment dat hij de bestelling ontvangt. Binnen die periode kan hij de webwinkelier laten weten dat hij toch van de aankoop afziet.

Wat gebeurt er in dat geval? Dan is de consument verplicht het product terug te sturen. De verzendkosten hiervoor moet hij betalen. Jij bent als webwinkelier verplicht het aankoopbedrag en de bezorgkosten binnen 30 dagen terug te storten op de rekening van de consument.

Helaas is de wereld niet perfect. Consumenten zijn, ten aanzien van hún verplichtingen bij het sluiten van een koopovereenkomst, niet allemaal op de hoogte van de bepalingen in de Wet Koop op Afstand. Daarom kun je niet anders dan heel duidelijk op je website vermelden dat de wettelijke bedenktijd 7 werkdagen bedraagt. En dan is er nog de kans dat de klant deze informatie niet leest, of er niets mee doet, en je na drie weken het product terugstuurt en zijn geld terugverwacht. Erger nog, hij kan het product gebruikt hebben, of beschadigd, waardoor de waarde van het artikel verminderd is en jij het niet meer (voor dezelfde prijs) aan iemand anders kunt verkopen. Dan lijd je dus verlies.

Als webwinkelier ben je ook gehouden aan een informatieplicht. De wet schrijft voor dat de consument bij het afleveren van de bestelling per brief geïnformeerd moet worden over de bedenktijd en de voorwaarden voor eventuele ontbinding van de koop. In deze zelfde wet zijn allerlei zaken die jou en mij heel logisch voorkomen níét opgenomen.

Zo wordt er niet in voorgeschreven dat producten in originele staat en verpakking moeten worden geretourneerd. Er staat ook niet in dat de consument eventuele waardevermindering van het product, door zijn toedoen, moet vergoeden. Dat het herroepingsrecht vervalt na gebruik van het product, wordt nergens omschreven. En het meest logische, de waarschuwing dat je zorgvuldig met het product om moet gaan tot je echt besluit dat het van jou wordt, ontbreekt ook. Wat de wet voorschrijft, geldt. Wat de wet nalaat voor te schrijven, geldt in principe niet.

Dat is natuurlijk wel heel slecht nieuws. Ben je als webwinkelier dan helemaal aan de goden overgeleverd? Gelukkig is dat niet het geval. Er wordt onder meer door Thuiswinkel.org druk gelobbyd om de verouderde Wet Koop op Afstand aan te laten passen aan de huidige internettijd.

Daarnaast kun je als webwinkelier zelf in je Algemene en Leveringsvoorwaarden opnemen hoe jij met zaken als bedenktijd en retourneren omgaat. Houd je je hierbij minimaal aan de bepalingen van de wet, en voeg je verder redelijke zaken toe als het onbeschadigd en ongebruikt terugsturen van producten, dan zijn de bepalingen uit jouw Algemene en Leveringsvoorwaarden voor beide partijen bindend zodra de consument aangeeft deze te hebben gelezen (check of je dat hebt opgenomen in de afrekenprocedure van je webshop) en ermee akkoord te gaan. Houd je je verder aan de informatieplicht tijdens het sluiten van de koop en erna bij het afleveren van het product bij de consument en ontstaat er toch een geschil over een vaas die je in tienduizend stukjes terugkrijgt, dan zal geen geschillencommissie of rechter jou ooit in het ongelijk stellen.

In hoofdstuk 9 geef ik je tips over de overige wetten en regels waar je als webwinkelier en ondernemer in het algemeen aan gehouden bent.

Goede service is meer dan regels volgen

Goede service is meer dan je aan de regels houden. Leden van Thuiswinkel.org staan bij consumenten bekend om hun uitstekende service. Dat komt onder meer doordat de bedenktijd bij deze winkels niet 7 werkdagen, maar 14 werkdagen bedraagt. Benieuwd naar de Algemene en Leveringsvoorwaarden van zo'n webshop? Zij volgen in ieder geval deze voorwaarden, die zijn opgesteld door de Thuiswinkel-organisatie in samenwerking met de Consumentenbond.

Nu je volledig op de hoogte bent van alle wetten en regels ten aanzien van je verplichtingen, en je hebt gezien hoe je je serviceniveau nog verder kunt opkrikken door net een stapje verder te gaan dan de regels voorschrijven, wil ik je nog één tip geven.

Houd er rekening mee dat de retourprocedures voor jouw webwinkel niet altijd vlekkeloos zullen verlopen. Af en toe zul je balen als een stekker. Gedragen kleding, kapotte spullen, je hebt het geld al teruggestort en het product is nog niet terug, ergernis! Maar: zet je eroverheen. Handel het zo gauw mogelijk af en zie het als service verlenen. Stort je daarna weer op de volgende verkoop en het verlenen van service aan fijne, welwillende klanten.

Werk snel en goed

Snelheid wordt door je klanten zeer hoog gewaardeerd. Niet alleen in levering, maar ook in het beantwoorden van vragen, het afhandelen van retouren, ruilingen en het terugstorten van geld. Zorg dus voor de nodige snelheid. Het fijne is dat je hier zelf ook van profiteert. Wat je erg kan helpen bij het versnellen van alle logistieke zaken en service, is efficiënt en netjes werken.

Als je bijvoorbeeld je voorraad goed bijhoudt, niet alleen digitaal in een systeem, maar ook door je opslagruimte op orde te houden, dan weet je altijd direct of je een product wel of niet kunt leveren en kun je de geïnteresseerde koper vertellen wat hij kan verwachten.

Tineke Sluiter van Orangebag.nl

INTERVIEW: Tineke Sluiter: een kijkje achter de schermen bij Orangebag.nl

Tineke Sluiter van Orangebag.nl: 'De kracht van onze service? Ons oog voor detail.'

Het Brabantse Heeswijk Dinther is prachtig en erg cultuurhistorisch verantwoord, maar de plaats is bepaald geen wereldstad. In twee minuten rijd je erdoorheen. Toch is het zeer de moeite waard om tussen de kerktoren en de tweede boerderij van rechts vaart te minderen, want hier – in een ruim bemeten kantoorpand – ligt een waar modemekka verscholen. Je herkent het aan een plukje hip uitziende meisjes, vrolijke twintigers die in modieuze outfits staan te roken op het balkon, en een flink logo dat ORANGEBAG.NL schreeuwt. Nieuwsgierig stap ik uit in deze businessoase midden in het dorp.

Liefs uit Brabant

Bijna 280 bestellingen die op één dag de deur uit gingen. Dat is het recentste record dat we hier hebben gevestigd. En ál die artikelen worden met de hand verpakt, in mooi zijdeachtig papier en er gaat een persoonlijk, handgeschreven briefje bij.' Tineke Sluiter, oprichter en eigenaar van onlinewinkelcentrum Orangebag.nl, weet zeker dat zij haar immense succes voor een groot deel dankt aan haar servicebeleid. Op een inpaktafel ligt een stapel briefjes. In keurig handschrift staat er: 'Hallo Laura, op de valreep voor je derde trouwdag ontvang je bij dezen de door jou bestelde Edith & Ella-jurk in maat M. Ik wens jou en je man een geweldige dag en als ik nog eens iets voor je kan betekenen, hoor ik het graag! Liefs, Tineke en het team van Orangebag.nl.'

Duidelijke presentatie scheelt retouren

Ik interview Tineke voor *Internetgodinnen* omdat ik de laatste jaren geen modeblad heb opengeslagen waarin geen artikelen van Orangebag.nl werden vermeld. Met 57 A-merken in haar webwinkel doet zij iets wel héél goed. En het gastenboek op de site staat vol met uiterst persoonlijke reacties van vrouwen die gratis reserveknopen hebben ontvangen, een extratje bij hun bestelling of gewoon een snelle afhandeling van hun omruilverzoek. Tineke: 'In eerste instantie doen we ons uiterste best om te voorkomen dat je iets retour moet sturen, want dat is hoe dan ook vervelend. Stel je hebt iets echt nodig voor een bepaalde datum, dan is het niet leuk als blijkt dat het toch niet past, of niet zo zit als je had gehoopt. Omruilen duurt een werkdag. Wij investeren veel tijd en energie in fotografie. Ieder product gaat uitgebreid op de foto in onze eigen studio. Daar werken een fotograaf, een beeldbewerker, een stylist en een stagiaire fulltime samen om ieder artikel zo helder mogelijk en vanuit elke denkbare hoek in beeld te brengen. Zo weet je als koper waar je aan toe bent. Op de Catwalk-pagina dragen modellen de kleding, dus daar zie je nog eens heel goed hoe iets zit en waar je het mee zou kunnen combineren.'

'Investeer tijd en moeite in elke bezoeker of klant'
Investeren in fotografie ziet Tineke ook als een service aan de bezoekers van Orangebag.nl. 'Natuurlijk, in een fysieke winkel presenteer je je producten toch ook zo goed mogelijk aan je klanten? En deze investering betaalt zich ook op andere manieren terug; zo gebruiken de bladen regelmatig onze productfoto's omdat die vaak nog beter, en makkelijker verkrijgbaar zijn dan de foto's van de merken zelf. En bij een foto hoort altijd een bronvermelding, daarom zie je zo vaak iets staan als 'Ted Baker dress, € 99,-, by Orangebag.nl' en daar ben ik heel blij mee.'

Maar wat als het ondanks alle zorg toch misgaat, als het artikel toch niet aan je verwachtingen voldoet? Schoenen kunnen bijvoorbeeld wel je maat zijn, maar toch oncomfortabel zitten. 'Dat kan inderdaad gebeuren en daarom heeft Orangebag.nl een prima retourbeleid, waarbij aan alles is gedacht,' legt Tineke uit. 'Op de site geef je aan dat je het product retour wilt sturen, en of je je geld terug wilt of het artikel wilt omruilen voor bijvoorbeeld een andere maat. Kies je voor de laatste optie, dan storten wij het aankoopbedrag direct bij je shoptegoed, zodat je meteen het juiste artikel kunt aanschaffen en je bijvoorbeeld niet het risico loopt dat de maat die je zoekt, uitverkocht is. Zodra we het retourgezonden product in goede orde van je hebben ontvangen, gaat jouw pakketje met het omgeruilde artikel op de post. Dit kan binnen één werkdag, je hebt het juiste product dan de volgende dag in huis.'

Tineke vindt dat je je met je retourbeleid kunt onderscheiden van andere webwinkels. 'Je dient je uiteraard te houden aan de Wet Koop op Afstand, maar je kunt méér doen voor je klanten, die je immers wilt laten terugkomen. Handel retouren dus snel en netjes af. Komt iets retour doordat jouw webwinkel de klant niet goed heeft geïnformeerd, of door iets anders dat aan jouw bedrijf te wijten is? Maak dan je excuses en stop een klein cadeautje bij het volgende pakket. Ik heb één fulltime medewerker in dienst voor de retouren. Procentueel gezien hebben wij op honderden bestellingen maar weinig retourzendingen, maar ik wil dat elke retourzending goed geadministreerd en afgehandeld wordt. Niet één klant mag van ons balen.'

'Niks uit de hand gelopen hobby. Ik wilde professioneel starten'
Tineke startte Orangebag.nl in 2005; sindsdien verdubbelde de omzet ieder jaar. Ook al neemt deze groei anno 2010 wat af – door Tinekes keuze voor stabiele groei – er is toch een nieuw bedrijfspand nodig. Medio 2010 wordt Orangebag.nl gevestigd in een Veghels nieuwbouwpand van maar liefst 1200 vierkante meter. Tineke: 'Door de verdiepingsvloer boven op de stellingen die we laten maken, hebben we straks zelfs 1600 vierkante meter magazijnruimte! Dit is een hele stap. Af en toe moet ik mezelf even in mijn arm knijpen om te kijken of ik niet droom.'

Van Tineke zul je niet horen dat haar bedrijf een uit de hand gelopen hobby is. Met een financiële achtergrond als registeraccountant en werkervaring bij bedrijven als KPMG, wist zij wel het een en ander van bedrijfsvoering. 'Ik heb ook nog een tijdje als freelance interimmanager gewerkt, bij grote bedrijven werkte ik aan hun procesverbetering, dus ik kon overal binnenkijken en zo veel ervaring opdoen. Ik had een lekker salaris en omdat mijn man ook een goede baan als financieel directeur had, hadden wij het samen heel goed. Maar er kriebelde iets. Ik had zin om mijn interesse voor mode en mijn kennis van bedrijfsvoering te combineren in een eigen onderneming. Ik ben een merkenfreak en al bij de opkomst van de eerste webwinkels in 2000 shopte ik online. In Nederland kon je in 2005 vrijwel nergens online merkkleding kopen, ja misschien wel kleding van één merk via de website van de fabrikant, maar een *multibrand*-webshop met goede dames-, heren- en kindermerken bestond niet. Naar mijn mening liep Nederland achter op omringende landen als Engeland, Italië en Scandinavië. Dát ga ik doen, dacht ik. En ik wilde het meteen professioneel hebben.'

'Ga er maar van uit dat niemand op je zit te wachten'

En makkelijk was het niet, herinnert Tineke zich. 'Daar ging ik dan, op inkooppad. Agenturen overtuigen dat ik te vertrouwen was. Elk seizoen bellen om te vragen of ik mocht inkopen. In het begin, zeker in 2005, waren de grote merken heel bang voor internetbedrijven. Zij zagen die als concurrent van hun vaste retailklanten, fysieke winkels die al jaren trouw inkochten en zich aan de regels hielden. Als ik er dan één over de streep had getrokken, deed ik ook mijn uiterste best om het merk te laten zien dat ik een goede klant was. Inkoopfacturen betaalde ik toen al keurig binnen tien dagen. Ik ging niet onder de retailprijs zitten.
Dat doe ik nog steeds niet. De toegevoegde waarde van mijn webwinkel is niet dat je het bij mij goedkoper kunt kopen dan in een fysieke winkel. Ik bied mijn klanten gewoon meer gemak, meer service en een fijnere shoppingbeleving dan anderen en daardoor kopen mijn klanten graag bij mij. Bij Orangebag.nl kun je bijvoorbeeld ook artikelen uit de uitverkoop ruilen, een extra knoopje vragen of je geld terugkrijgen. Veel fysieke winkels bieden die service niet. Als merken eenmaal doorhebben dat ik de eindgebruiker heel blij maak met de kleding van hun label, zijn die merken ook heel blij met Orangebag.nl en dat is me alles waard.'

'Snel verdienen? Begin geen webshop'

Een vetpot was het ook niet meteen, vertelt ze. 'Nu kunnen wij goed leven van ons werk, mijn man en ik zitten beiden fulltime in het bedrijf. Hij doet de financiën en automatisering en ik de inkoop en de creatieve kant. Samen geven we leiding aan zestien medewerkers. Maar ik begon Orangebag.nl vanuit onze eigen woning. Ik stak er mijn spaargeld in en keerde mezelf de eerste jaren geen salaris uit.

Ik heb veel geld in de ontwikkeling van de website gestoken. Het ontwerp liet ik door een bureau doen en het contentmanagementsysteem is speciaal voor ons op maat gemaakt. Door mijn ervaring als registeraccountant wist ik dat het de eerste jaren inleveren zou worden, dus dit was geen verrassing en we konden er rekening mee houden. Wat me wel een beetje is tegengevallen in het begin, is de tijd die het me kostte. Als je zó op details focust als ik, dan kost werkelijk elke stap je enorm veel tijd.'

'Hoeveel kostte dat jurkje?!'

Dat oog voor detail legde Tineke op den duur geen windeieren. 'Uiteindelijk is dit onze kracht geworden. Klanten smullen van de persoonlijke service die ze krijgen. Onze artikelen komen in mooi zijdepapier naar je toe. Heb je ook iets voor je man of kinderen besteld? Iedereen krijgt een eigen pakketje met zijn naam erop. We kijken ook naar je vorige aankopen en vragen je of die bevallen zijn. Ook fijn: als je een pakketje van ons ontvangt, staat de aankoopprijs nergens meer vermeld. Je weet tenslotte heus wel wat het heeft gekost en als je dat leuke jurkje in je handen houdt, hoef je daar niet meer aan herinnerd te worden. En als je man onverwacht het pakketje opent, weet hij het lekker ook niet! Daar krijgen we veel dankbare reacties van vrouwen op.'

Orangebag.nl dankt zijn naam aan de vele shoppingtrips van Tineke. Ze winkelt graag bij het bekende warenhuis Bloomingdales in Amerika, waar je je aankopen in een klassieke 'brown bag' meekrijgt. Tineke wilde haar bedrijf een Nederlandse uitstraling geven, vandaar 'orange' en de extensie .nl. Het word 'bag' staat voor de virtuele winkeltas op de site. Tineke wilde een naam die niet conceptgebonden is. Orangebag.nl zou zodoende ook parasols, meubilair of fotolijstjes kunnen verkopen.

Stap 8

Netwerken en imago opbouwen

Als je voor je werk regelmatig medeondernemers spreekt, dan hoor je iets vaker dan je zou willen dat je vooral moet netwerken. Meer dan eens ben ik meegetroond naar een netwerkborrel die met veel bombarie werd aangekondigd en die in werkelijkheid nogal tegenviel. Want: gehouden in een troosteloos dorpshuis in een onbeduidend gehucht, bezocht door te weinig mensen en toch door te veel mannen die, tijdens het luidruchtig opscheppen over hun bedrijf, kleine stukjes bitterbal op je spugen en na een half uur dronken zijn van de gratis hoofdpijnwijn.

Vaak wordt er voor zo'n ik-ben-gaaf-dag een hoopgevend thema uitgekozen, waardoor je denkt: misschien moet ik er toch maar heen, om er dan tot je ontsteltenis achter te komen dat er slechts één, onbekende spreker is, die schaamteloos zijn eigen business staat te promoten, en dat het de aanwezigen verder alleen maar om de catering te doen is. Verder dan kaartjes uitdelen en ontvangen ben ik bij zo'n zogenaamde netwerkgelegenheid nooit gekomen.

Ik ga je in dit hoofdstuk dan ook niet vertellen dat je als kersverse onderneemster moet gaan netwerken om het netwerken, daar zul je ook geen tijd voor hebben. Maar het is evenmin goed om op die zolderkamer achter de digitale geraniums te blijven zitten. Ook al geschieden bijna al je bedrijfsprocessen online en in computers, de beste contacten voor je bedrijf leg je nog altijd in persoon.

Via nuttige netwerkevenementen kun je mogelijke investeerders voor je plannen ontmoeten, andere (vrouwelijke) internetondernemers, de pers en innovatieve leveranciers. Met deze mensen kun je praten over jouw ervaringen, hun ervaringen en misschien wel goede ideeën opdoen.

Bij de juiste branche-evenementen aanwezig zijn en netwerken helpen ook bij het opbouwen van je bedrijfsimago. Ook dat imago, de opbouw en de bewaking ervan, bespreken we in dit hoofdstuk. Ik vroeg de bekendste internetonderneemster van Nederland wat zij van de termen 'netwerken' en 'imago' vindt en hoe zij ermee omgaat voor haar miljoenenbedrijf Kleertjes.com. Als er namelijk iemand is die weet hoe het werkelijk zit, dan is het Claudia Willemsen wel.

People to meet, places to go

Er worden in Nederland veel evenementen voor de e-commercebranche georganiseerd, die zeker de moeite van een bezoek waard zijn. De ontwikkelingen in deze sector gaan zo snel dat er elk half jaar wel weer een spectaculaire ontwikkeling wordt aangekondigd. Omdat je nu eenmaal niet alle boeken kunt lezen, alle sites kunt bezoeken en alle social media in de gaten kunt houden, kan een middagje op een vakbeurs je in één keer heel veel vakkennis opleveren die je eerder niet had. De belangrijkste evenementen zijn:

De Webwinkel Vakdagen

Een tweedaagse beurs die ieder jaar webwinkeliers en leveranciers bij elkaar brengt. De exposanten zijn allerlei aanbieders van bijvoorbeeld webdesign, contentmanagementsystemen, betaalsystemen, pakketbezorging enzovoorts. De sprekers zijn (onafhankelijke) experts uit de branche. De bezoekers zijn webwinkeliers zoals jij, de pers, en branche- en vakgenoten.

De Thuiswinkel Update

Naar eigen zeggen van de organisatie hét netwerkevent voor en door webwinkeliers. Je kunt hier meedoen aan debatten, vragen stellen aan doorgewinterde webwinkeliers, je hoort de laatste nieuwtjes van bekende sprekers en je kunt netwerken met medeondernemers.

EMERCE eDay

Een netwerkdag voor iedereen die actief is in onlinebusiness en -marketing. Deze dag, die ieder jaar wordt georganiseerd, staat in het teken van ge strategieën, technieken en ontwikkelingen, die door de innovatieve vakgenoten worden gepresenteerd. Je kunt er naar gressen, meedoen aan workshops en nieuwe slimmigheden testen.

De Thuiswinkel Vakbeurs
Driedaagse beurs waarvan wordt gezegd dat het de grootste vakbeurs van de Benelux is voor webwinkeliers, retailers (mensen met een fysieke winkel) en e-commercespecialisten. Er worden ongeveer 80 congressen aangeboden, dus je kunt zelf kiezen welke je bij wilt wonen en welke niet. Er lopen ieder jaar zo'n 9000 vakgenoten rond. In de speciaal ingerichte Thuiswinkelstraat zie je allerlei standhouders die producten en diensten aanbieden waarmee je je webwinkel zou kunnen verbeteren.

Ondernemersmedia

Maar ook de ondernemersmedia organiseren interessante evenementen waar je goede contacten kunt opdoen. *Sprout* is een interessant zakenblad voor startende, jonge ondernemers en frisse, innoverende bedrijven. *Sprout* organiseert:

Sprout Challenger Day
Tijdens de Sprout Challenger Day kun je naar de lezingen van (vaak jonge) bekende ondernemers die hun succes mede te danken hebben aan hun innovatieve ideeën, waarmee ze bestaande topondernemingen in dezelfde branche behoorlijk uitdagen. Op deze dag wordt ook de Challenger van het jaar bekendgemaakt. Tijdens de eerste editie van Sprout Challenger Day waren ongeveer alle Nederlandse businesscoryfeeën aanwezig, zoals Floris van Bommel (Van Bommel-schoenen) en Peter Muller (Routemobiel). Jort Kelder praatte de dag aan elkaar.

25 onder de 25
Het blad *Sprout* heeft ook een heuse '25 club', voor ondernemers tot 25 jaar, jongeren die ondanks of juist door hun jonge leeftijd succesvol zijn gestart met hun eerste, of meerdere bedrijven. Ieder jaar brengt *Sprout* de '25 onder de 25'-lijst uit, met daarin de succesvolste of meest veelbeloven-

de jonge ondernemers van Nederland. De dag dat het blad wordt gepresenteerd, wordt ook een *award* uitgereikt aan de nummer 1 op de lijst. Ben je niet ouder dan 30, dan kun je deze presentatie bijwonen en netwerken met de andere aanwezigen en de makers van het blad.

FIP Network

Er is maar één netwerkclub in Nederland die volledig is gericht op vrouwelijke internetondernemers, en dat is het Female Internet Professionals (FIP) Network. Omdat de trend waarbij steeds meer vrouwen toekomst zien in een carrière in de e-commerce enorm aanslaat, maar nog zo jong is, bestaat er pas sinds 2010 een netwerk voor deze vrouwen. Het FIP Network organiseert evenementen en bijeenkomsten voor vrouwen en meiden met een eigen webshop, een andersoortig internetbedrijf of een goede baan op de e-commerceafdeling van een onderneming.

Weet waar je over praat en houd oren en ogen open

Ben je na het lezen van de voorgaande paragraaf voornemens om je, namens je nieuwe webwinkel, op zo veel mogelijk nuttige feestjes en bijeenkomsten te vertonen? Hiermee is een belangrijke stap om aan een goed bedrijfsimago te werken gezet, maar er is meer te doen. Je inlezen bijvoorbeeld over dé namen in de branche. De namen die je in *Internetgodinnen* ziet staan, zie je stuk voor stuk terug op de 'most invited'-lijstjes van de organisatoren van de belangrijkste e-commercenetwerkdagen, award-gala's, beurzen en noem maar op. Anderen die er ook tot het meubilair behoren zijn:

Ben Woldring van Bellen.com
Jitse Groen van Thuisbezorgd.nl
Joran Prinssen van iBOOD.nl
Pieter Zwart van Coolblue.nl
Daniël Ropers van Bol.com
Stephanie Dijkstra van Simplycolors.com
Johan van Vulpen van Greetz.nl

ze namen en de reden waarom deze personen succesvol zijn, kent vóór je naar een e-commerce-event gaat. Weten waar je het ebt, is stap 2 bij het opbouwen van je imago.

en derde en volgende stap vraagt wat meer werk en je webwinkel noet er tiptop voor in orde zijn: je opgeven voor (een) ter zake doende award(s). Hiervoor moet je dan wel digitale formulieren invullen, voldoen aan allerlei criteria, soms vreemden toelaten in je bedrijfsadministratie en opdagen op jury- en nominatiedagen, maar als je wint, zul je merken dat het de moeite waard is, want dan heb je in één klap naam gemaakt in je eigen branche en het levert je goede free publicity op.

De belangrijkste awarduitreiking in Nederland voor de e-commercesector is die van de Nationale Thuiswinkel Awards. Meedoen? Check de voorwaarden op www.thuiswinkelawards.nl. Nieuwkomer in de organisatie van internetbusinesscompetities is mediatycoon Joop van den Ende. Hij organiseerde in 2010 voor het eerst de LOEY Awards, de verkiezing van de Leading Online Entrepreneur of the Year. Wil je je kans op een prijs verdubbelen, geef je dan ook op voor deze award via www.loey.nl.

Voel je je betrokken bij een goed doel of een bijzonder initiatief en past dit goed bij jouw internetonderneming? Als je er budget voor kunt reserveren, is sponsoring een goede optie om je succes te delen én tegelijkertijd aan een goed imago van je bedrijf te werken. Je kunt een organisatie of stichting bijvoorbeeld sponsoren met geld of spullen en in ruil publicitaire aandacht krijgen.

INTERVIEW: Claudia Willemsen van Kleertjes.com

Haar omschrijven als internetgodin doet haar eigenlijk geen recht. Claudia is een tijger, een vechter. Het enige wat zij met een godin gemeen heeft, is dat zij alle uitdagingen, van concurrenten, de markt, en die van het leven, met opgeheven hoofd en de mouwen opgestroopt zal overleven. Claudia staat aan het hoofd van het door haar opgerichte miljoenenbedrijf Kleertjes.com. Zij beviel onlangs van haar derde kind. Voor de bevalling, het einde van een zwangerschap die niet geheel liep als verwacht, zag ze voor de zoveelste keer het ziekenhuis vanbinnen. Bijna tegelijk onderte-

Claudia Willemsen van Kleertjes.com

kende ze een overeenkomst waarmee ze voor een groot deel afstand deed van haar vierde kind, haar zaak. Voor Claudia, die van alle onderneemsters die ik voor *Internetgodinnen* sprak het verst is qua doorlopen fases van het ondernemen, is het overleven van haar bedrijf belangrijk, maar niet het belangrijkste. Dat zijn haar kinderen, haar man en zijzelf, ontdekte ze door een nare wending van haar leven. Claudia regelde het echter zo dat Kleertjes.com zal blijven groeien en zij toch meer tijd heeft voor wat echt telt. Ik reisde af naar Doetinchem en vroeg de zakenvrouw naar haar succes, haar netwerk en de manier waarop zij dit netwerk inzet om groter dan de rest te worden. Claudia gaf aan de lopende band tips die je als toekomstige internetonderneemster uit je hoofd zou moeten leren.

De cijfers

Kleertjes.com werd in 2003 door Claudia Willemsen gestart. In een periode waarin de Hollandse e-commercemarkt nog maar een heel klein marktje was, wilde Claudia de eerste Nederlandse houder van een professionele webwinkel met een ruim en gevarieerd aanbod in kinderkleding van voorgaande collecties worden. Toen dat goed ging, kwamen er in 2005 actuele collecties bij. En steeds meer merken en artikelen. In 2007 won Kleertjes.com 3 Thuiswinkel Awards. Op dit moment heeft Claudia's bedrijf 6500 vaste klanten en 95.000 leden. Elke week melden zich 250 tot 350 nieuwe leden. Kleertjes.com voert meer dan 70 kindermodemerken. Er werken ruim 90 mensen bij het bedrijf, dat in Doetinchem kantoor houdt en daar ook een fysieke winkel heeft geopend. Claudia Willemsen verscheen onlangs in het nieuws omdat zij tweederde van haar aandelen aan twee investeerders verkocht. De reden hierachter is dat Kleertjes.com met het groeigeld sneller de stap naar het buitenland kan maken. Daarnaast wil het nieuwe managementteam het assortiment uitbreiden met schoenen en zwangerschapskleding. Claudia zal niet langer als CEO fungeren. Als Creative Director blijft ze echter wel in het bestuur en op de werkvloer actief. Kleertjes.com sloot 2009 af met een omzet van 10,6 miljoen euro.

Welke achtergrond heb je, hoe ben je in de e-commerce terechtgekomen en hoe kwam je op het idee voor Kleertjes.com?

'Ik was jarenlang klachtencoördinator bij een bedrijf in de betaalwereld. Binnen dat bedrijf werkte ik zelfstandig en heel servicegericht, ik loste de problemen van klanten op door binnen het bedrijf aan de juiste touwtjes te trekken. Mijn ex-man had een bedrijf in internethosting, waarin ik ook actief was naast mijn baan. Op een gegeven moment liep dat bedrijf zo goed dat we de zorg voor de kinderen, het bedrijf en mijn baan in loondienst niet meer konden combineren. Met pijn in mijn hart ging ik weg bij mijn werkgever, maar ik voelde gewoon dat ik ondernemer moest worden. Mijn ex-man en ik waren zakelijk een sterk duo, maar privé ging het niet goed met ons als stel. In die periode kwam ik op het idee voor mijn huidige bedrijf. En ik zal je vertellen, het is allemaal begonnen met één jurkje. Ik had het als ondernemende moeder hartstikke druk en die kinderen groeiden als kool. Ze hadden continu wat nieuws nodig, maar ik had de tijd niet om hiervoor uitgebreid te gaan shoppen. Toen ik in een winkel tegen een leuk jurkje aan liep, kocht ik het dan ook meteen. Vijftig euro kostte het. Kom ik datzelfde jurkje een maand later tegen op Marktplaats, voor 25 euro! Ik ging meteen rekenen, wat voor marge zou ik voor die kleding kunnen vragen in een onlineshop? En het idee liet me niet meer los, ik ging ermee aan de slag.'

Hoe heb je dat idee dan omgezet in een werkende webshop, die ook nog eens meteen een succes was?

'Hoe kom jij erbij dat het direct een succes was? Het ging niet vanzelf. Eerst maakte ik een plan. Daarna maakte ik geld vrij voor mijn project. Ik gunde mezelf 2400 euro om te verbranden, dus ik kon slagen en meer geld terugverdienen, of ik zou op mijn bek gaan en dan was het geld weg. Daar moet je rekening mee houden. Als je van jezelf weet dat je ergens in kunt falen, dan is het oké. Daarna moest ik kleding gaan inkopen, maar daar had ik geen moer verstand van. Toch deed ik het. Meestal ging het goed en kwam ik thuis met goede spullen, mijn intuïtie zit er nooit ver naast. Maar het is ook wel eens misgegaan. Was ik naar een of ander vergelegen oord gereden, bleek dat de collectie die ik wilde opkopen er niet meer uitzag. Gelukkig heeft het mij nooit moeite gekost om nee te zeggen. Dat deed ik dan. Hele middag verloren, maar mijn geld tenminste in mijn zak gehouden. Van dat soort miskleunen leer je ook. Van mijn assortiment moesten goede foto's worden gemaakt, dus dat liet ik doen. Ik kon zelf programmeren en voor wat ik op dit gebied niet kon, regelde ik hulp. Toen de site naar mijn zin goed genoeg was, stapte ik naar de Kamer van Koophandel en schreef ik me in. Op 22 juli 2003 ging ik online.'

> 'Kan niet bestaat niet. Als ik iets niet kan inkopen, maak ik het zelf.'

Toch klinkt het alsof je redelijk pragmatisch en goed geïnformeerd aan de slag bent gegaan als startende webwinkelier. Welke kennis had je in 2003 over de e-commercemarkt?
'Nou niet zoveel, maar ik had wel wat technische kennis. En ook van het internet wist ik het een en ander, doordat ik met mijn ex-man in de internethosting zat. Ik wist daardoor welke mogelijkheden het internet zou kunnen bieden voor een onlinehandel en voor het systeem achter een webwinkel. En ja, als je eenmaal weet wat de beste mogelijkheden zijn, dan wil je die ook hebben voor je bedrijf. Met bestaande systemen hoor je dan vaak: 'Nee mevrouw, dat kan niet...' Dan niet, denk ik dan en dan bouw ik het zelf.'

Hoe kwam je op de domeinnaam Kleertjes.com?
'Voor mijn werk registreerde ik de hele dag domeinnamen, ik wist dus waar een goede naam aan voldoet. Ik wilde iets korts, dat iedereen kan spellen, iets wat zegt wat de bedrijfsactiviteit is, en iets pakkends. Het was een een-tweetje. Kleertjes.nl heb ik er later bij gekocht.'

> 'Zelfs mijn moeder krijgt geen korting.'

Wat vind jij het belangrijkste wat vrouwen die een webwinkel gaan beginnen moeten weten?
'Dat zijn meerdere dingen, maar ik vind dat je je eerst moet afvragen wat je ermee wilt. Wil je je brood ermee gaan verdienen en je begint zo'n kralenhandel waar je prullen van 7 euro verkoopt, dan word je echt niet rijk. Je wordt sowieso niet rijk. Toen ik begon, was dat dan ook niet mijn wens. Ik wilde er wel op een gegeven moment mijn boterham mee verdienen, dus dat was het doel waar ik naartoe werkte. Mijn webwinkel groeide inderdaad snel, maar vergeet niet dat groei ook geld kost. Steek je je zuurverdiende geld te snel in een dikke auto, dan snijd je jezelf in de vingers. Wil je groeien, laat alle centen dan in je zaak zitten. Geef vrienden en familie ook geen korting en leg hierdoor beledigde types uit dat je echt alle omzet nodig hebt om deze weer te investeren in je bedrijf. Ik geef nog steeds geen kortingen aan bekenden. Van hen moet je het namelijk niet hebben. Ik zweer het je, zelfs mijn moeder betaalt gewoon de volle mep. En ik weet nog heel goed wie mijn eerste onbekende klant was, ene Judith uit Hellevoetsluis. Ik was zó blij. Zij is nog steeds vaste klant bij ons.'

Je bedrijf groeit explosief, je hebt twee kinderen en de derde is onderweg, hoe combineer je het harde werken aan je bedrijf met de zorg voor je kinderen?
'Ja, daar wil ik ook wel wat over zeggen. Sinds een paar maanden geef ik me in interviews ook wat meer bloot. Omdat ik mensen wil waarschuwen. Ik ben een harde werker; als ik iets wil dan gebeurt het, al moet ik ervoor naar Tokio en terug om het te krijgen. Tot 2006 ging ik maar door en door, ik dacht dat ik niet te stoppen was. En toen, pats boem, kreeg ik een herseninfarct en stopte alles. Ik had me, nadat ik flink mijn hoofd had gestoten, al een tijd niet lekker gevoeld en kreeg steeds ergere hoofdpijn, dacht aan migraine. Maar toen ik steeds meer uitvalverschijnselen kreeg, aan één kant van mijn gezicht, mijn spraak en mijn zicht, wist ik dat het goed mis was. In het ziekenhuis bleek dat ik mijn hoofd zo hard had gestoten dat er een bloedvat was gescheurd. Tijdens de heling daarvan was er een prop gestold bloed

losgeschoten, zo een ader in. Dat was de oorzaak van mijn beroerte. Door de reacties van het verplegend personeel in het ziekenhuis kwam ik erachter dat ik er heel slecht aan toe was. Er werd gevreesd voor een tweede beroerte, waaraan ik zou overlijden. Ik dacht steeds maar: ik ben 32, dit kan helemaal niet. Op een gegeven moment kwam mijn vechtlust weer boven. Ik wilde uit mijn rolstoel, lopen, mezelf en mijn kinderen kunnen aankleden, tandenpoetsen, leven. Heel langzaam kwam ik erbovenop.'

'Het kan zomaar ineens afgelopen zijn.'

'Maanden heb ik moeten revalideren, en maanden kon ik er niet zijn voor mijn bedrijf en, erger nog, ook niet voor mijn kinderen. Die zag ik geschrokken aan mijn ziekenhuisbed staan en toen schoot het door me heen: jezus, het zal ze maar gebeuren dat zij hier voorgoed weg moeten lopen zonder hun moeder; het vreselijkste wat ik me kan voorstellen is dat ik doodga terwijl zij mij nog zo nodig hebben. Toen ik weer hersteld was, wist ik dat ik mijn leven anders moest inrichten. Dat heb ik ook meteen gedaan, ik werk nu veel minder dan eerst en heb bedrijfsprocessen zo ingericht dat anderen heel goed kunnen doen wat ik eerst allemaal zelf deed. Nu kan ik veel bij mijn kinderen zijn en ook rust vinden wanneer ik daar behoefte aan heb. Andere moeders met een bedrijf zou ik ook willen zeggen: geef alles voor je bedrijf, maar neem zodra je denkt dat het ten koste zou kunnen gaan van je gezondheid of het welvaren van je kinderen ruim van tevoren gas terug. En richt je leven en je bedrijf zo efficiënt in dat het een niet het ander uitsluit. Er werken bij mij veel 'magazijnmoeders' die het goed hebben begrepen. Ze werken heel efficiënt, van negen tot drie. Ze maken hun werk af én halen toch zelf hun kinderen uit school.'

Je bent erg actief op Twitter, ik werd voor dit boek een van je volgers. Je tweet ook over privézaken. Ben jij imagobewust?
'Jazeker. Twitter gebruik ik als reclamemedium, maar ook als klantcontactkanaal – ik los er zelfs persoonlijk klachten op – en als manier om te

laten zien dat Kleertjes een transparant bedrijf is. Daarnaast vind ik het ook leuk. Ik pas wel heel goed op met wat ik daar roep. Je zult mij er bijvoorbeeld niet mijn politieke mening zien geven. Ik ben wel de directeur van een bedrijf, dus dat kan niet.'

Dit hoofdstuk gaat over netwerken; van welke netwerken maak jij deel uit?

'Ik ben helemaal niet zo'n netwerker, maar ik moet wel. Het is ook goed om naar de juiste feestjes en bijeenkomsten te gaan. Je hoort er toch vaak interessante nieuwtjes en ja, als je zo'n bedrijf hebt als ik, dan willen mensen je ook gewoon zien. Ik ga graag naar bijeenkomsten van Thuiswinkel.org, daar kom ik nu al zo lang, het zijn echt 'mijn mensen' die daar komen. Maar ik houd niet van blabla. Of van dat hele commerciële gedoe. Ik ben iemand die met niet meer dan een mavo-opleiding, keihard werken en handelsgeest is gekomen waar ze nu is. Niemand hoeft mij op zo'n feestje met een bitterbal in zijn mond en een aardappel in zijn keel te vertellen hoe ik mijn zaak moet runnen.'

Op welke manier doe jij dan aan netwerken?

'Ik denk dat ik heel goed en respectvol met mensen omga. Met klanten, met leveranciers, met medewerkers. Soms ben je met iemand in gesprek of in onderhandeling en dan denk je: wat een eikel. Toch laat ik dat niet merken en blijf ik altijd netjes. Je weet maar nooit waar iemand later nog van pas kan komen. Ik houd me ook aan afspraken. Heb ik iets beloofd, dan gebeurt het ook, zelfs als ik achteraf denk dat ik het beter niet had kunnen beloven.'

Wat zijn de plannen van Kleertjes.com voor 2011?

'We hebben een plan ontwikkeld dat in vier fasen zal worden uitgevoerd. Eerst wordt de site vernieuwd, het uiterlijk wordt verbeterd en we implementeren een nieuw systeem waardoor onder andere de zoekfunctie verder verbetert. Ook zullen we het assortiment flink uitbreiden. We gaan ons meer focussen op nog verdere personalisatie van onze service en op het creëren van *loyalty*. Ik wil ook klantreviews van artikelen gaan plaatsen. Maar eh... als je het goedvindt ga ik eerst even bevallen.'

Claudia Willemsen beviel op 6 juli 2010 in goede gezondheid van dochter Isa.

Stap 9

Saai maar nodig: de administratie

In hoofdstuk 7 heb je al kunnen lezen over de belangrijkste bepaling uit de Wet Koop op Afstand: de 7 dagen zichttermijn en informatieplicht. Ik denk dat je er inmiddels wel van doordrongen bent dat het houden van een webwinkel niet geheel vrijblijvend is.

Dit hoofdstuk gaat over het bijhouden van een administratie. Ik weet het, dit zal je niet voorkomen als het meest onderhoudende onderwerp, maar als je die webwinkel op een serieus niveau wilt starten, zul je er toch aan moeten geloven.

Er zijn, naast de Wet Koop op Afstand, ook wetten die jou als ondernemer verplichten tot het betalen van omzetbelasting (btw) en, als je volgens de Belastingdienst 'ondernemer voor de inkomstenbelasting' bent, zul je ook inkomstenbelasting moeten betalen. Dacht jij: ik begin lekker een webshop en alles is voor Bassie, dan moet je je nog maar even achter de oren krabben voor je gaat beginnen. De gemiddelde boekhouder zal je adviseren om ongeveer de helft van alles wat er binnenkomt, opzij te zetten voor belastingaanslagen.

Neem een boekhouder

Wat moet je doen om als brave hardwerkende burger en ondernemer aan je verplichtingen te voldoen en niet je eigen bedrijf om zeep te helpen door het maken van fouten die je had kunnen voorkomen? Ik heb maar één antwoord voor je: neem een boekhouder. Een goede, die niet enkel papieren heen en weer schuift en jou opdraagt wat je iedere maand, ieder kwartaal en ieder jaar moet overmaken naar de Belastingdienst, maar je ook advies geeft over hoe je je administratie goed kunt bijhouden. Welke aftrekposten je hebt, hoe je in aanmerking kunt komen voor meer aftrek en waarop je mogelijk kunt besparen.

Een goede boekhouder in jouw regio heb je zo gevonden. Google maar eens, je zult tientallen resultaten vinden. Ga met een paar kandidaten praten en kijk in wie je de meeste fiducie hebt, met wie het prettig schakelen is. Vraag hem wie zijn overige opdrachtgevers zijn. Vergelijk ook goed de uurtarieven.

Met een deugdelijke administratie houd je overzicht op je inkomsten en uitgaven en kun je zien hoeveel geld je moet reserveren voor de blauwe-enveloppenbrigade. Ook zie je dan hoe goed je webwinkel nu werkelijk boert. Op basis van de cijfers kun je je bedrijfsdoelen bepalen en bijstellen.

Het bijhouden van een goede administratie is niet alleen handig, maar ook verplicht. Je kunt namelijk ieder moment een controle van de Belastingdienst krijgen. Voor iedere ondernemer komt ooit die eerste controle van je boeken, en die moeten dan in orde zijn. Klopt je boekhouding niet, dan moet de belastinginspecteur van alles gaan uitzoeken en, als je fouten hebt gemaakt dan kunnen die je extra geld kosten.

Met een goede boekhouder, en door zelf ook je deel te doen, voorkom je dat. Voor je administratie moet je zelf goed bewaren:

- bonnetjes en facturen van alles wat je voor je bedrijf moet inkopen. Dus ook die van je internet- en telefonieabonnement, die van relatiegeschenken, zakelijke etentjes, tickets van inkoopreizen et cetera
- alle facturen die je verstuurt naar klanten
- je bankafschriften

Eens per maand of per kwartaal doet je boekhouder je aangifte voor de omzetbelasting. Je hoort dan wat je moet overmaken aan de Belastingdienst. Eens per jaar doet hij je aangifte voor de inkomstenbelasting.

Belasting over toegevoegde waarde (btw)

Voor je bedrijf moet je uitgaven doen die zijn belast met 19 procent btw. Je betaalt dus voor een doos met pennen 20 euro exclusief btw, maar je rekent de pennen af inclusief 3,80 euro btw, dus je betaalt 23,80. Je krijgt een aankoopbewijs waarop de btw is gespecificeerd. Het bonnetje stop je bij je administratie.

De spullen die jij aan jouw klanten verkoopt, zijn ook belast met 19 procent btw. De verkoopprijs voor een artikel is samengesteld uit: inkoopprijs, marge en btw. De klant die voor het product bijvoorbeeld 50 euro heeft betaald, heeft dus 9,50 euro aan btw aan jou betaald. Dat bedrag moet je opzijzetten. Je stuurt de klant een factuur waarop de btw is gespecificeerd. Je print ook een exemplaar van dezelfde factuur uit voor jezelf en stopt die bij je administratie.

Als de boekhouder jouw aangifte voor de omzetbelasting gaat doen, vraagt hij je om al je bonnetjes, al je facturen en je bankafschriften. Hij telt op hoeveel omzet je hebt gemaakt en hoeveel btw je hebt verzameld. Daarna trekt hij de btw die jij hebt betaald ervan af. Wat er onder aan de streep overblijft, moet je overmaken aan de Belastingdienst. Heb je meer btw betaald dan ontvangen? Dan krijg je het te veel betaalde geld terug, het wordt dan afgetrokken van de eerstvolgende keer dat je btw-geld moet overmaken naar de Belastingdienst.

Het valt allemaal best mee

Hoe de inkomstenbelasting voor ondernemers werkt, ga ik hier niet uitleggen, omdat dit een tweede boek zou worden. Je kunt er zelf echter veel informatie over vinden op www.belastingdienst.nl, maar een goede boekhouder kan je er nog veel meer over vertellen en zal je begeleiden waar dat nodig is.

Veel startende ondernemers zijn een beetje bang voor de administratie, ze vrezen dat het te veel tijd kost of dat ze fouten maken, maar dat is nergens voor nodig. Als je je aan het voorgaande houdt, en mijn advies om een boekhouder in te huren opvolgt, hoef je niet meer dan een paar honderd euro per jaar kwijt te zijn aan het op poten zetten van een goede administratie en kost het je ook niet meer tijd dan een paar uur per maand.

Stap 10

Doe je voordeel!

Met dit boek in de hand kun je op een weldoordachte manier aan de slag met het realiseren van de webwinkel van je dromen. Je hebt globaal kennis van de markt, weet welke partijen en instanties daarin belangrijk zijn en je weet waar je zelf nog meer informatie kunt vinden. Hopelijk ben je door de verhalen van de sterke vrouwen die ik interviewde nóg enthousiaster geworden over alle mogelijkheden die er voor je eigen webshop zijn en hebben deze verhalen je geïnspireerd om het maximale uit je eigen creativiteit te halen.

Om je een extra steuntje in de rug te geven, om de drempel voor je start nog verder te verlagen, vind je op www.internetgodinnen.nl een aantal acties waarmee je flink je voordeel kunt doen. Cadeautjes voor een vliegende start. MijnWinkel.nl, Twinkle en Domeinbalie.nl helpen je slimmer in te kopen. Daarnaast vind je op deze site nog een keer alle nuttige links en adressen die in dit boek voorbij zijn gekomen. En heb je vragen? Op internetgodinnen.nl houd ik een agenda bij en vind je hoe je met mij in contact kunt komen. Ik ben heel benieuwd naar ieder initiatief waartoe *Internetgodinnen* mogelijk heeft geleid. Namens iedereen die aan deze uitgave heeft meegewerkt: heel veel succes gewenst!

Over de auteur

Suzan Eikelenstam (1979) begon haar carrière als webredacteur bij de destijds startende vergelijkingssite Kieskeurig.nl, waar dagelijks duizenden consumenten producten, prijzen en (web)winkels met elkaar vergelijken. Hier deed zij haar eerste ervaringen op met het aankoopgedrag en de behoeften van onlineshoppers en met internetondernemers en fabrikanten die daarop inspelen. Daarna werkte ze in de reclamewereld als copywriter aan de websites en de onlinemarketing (business-to-business en business-to-consumer) van middelgrote en grote ondernemingen. Eind 2007 richtte ze haar pr-bureau Hyperz PR op, dat zich onder meer inzet voor e-commerceondernemers en een sterke onlinefocus heeft.

Suzan en de bevlogen mensen uit haar netwerk dragen de Nederlandse e-commercesector een warm hart toe, omdat de groei ervan belangrijk is voor de economie. Toen de media in 2009 en in 2010 in sterk toenemende mate bleven berichten over nieuwe webwinkels, nieuwe ontwikkelingen in de sector en de ondernemers hierachter, kwam Suzan op het idee voor *Internetgodinnen*. Ze ging research doen naar de trends en ontwikkelingen in de markt en met name naar de groter wordende rol van vrouwen hierin. Het feit dat Suzans pr-bureau steeds meer e-mails ontvangt van vrouwen die een onlineshop zijn begonnen, is geheel in lijn met de resultaten uit haar research.

De afgelopen vijf jaar groeide het totaal van de onlineaankopen gemiddeld met 20 procent per jaar. Er treden ook positieve verschuivingen op in de markt. Nieuwe onlineshoppers zijn nu vaker vrouw dan man, er zijn anno 2010 evenveel vrouwelijke onlineshoppers als mannelijke. Vrouwen hebben dus een inhaalslag gemaakt. Er worden in Nederland ook steeds meer webwinkels gestart, het onlineaanbod van producten en diensten in ons land neemt steeds verder toe. Op dit gebied kunnen ambitieuze vrouwen nog veel terrein winnen. Net als in de retail zijn er op dit moment nog steeds meer mannelijke e-commerceondernemers dan vrouwelijke, maar ook hier begint een verschuiving op te treden.

Uit cijfers en de ervaringen van branche-experts blijkt dat de laatste jaren steeds meer vrouwen een internetonderneming in de vorm van een webwinkel hebben gestart (42 procent van de webwinkeleigenaren die ingeschreven zijn bij de Kamer van Koophandel is vrouw), er een aan het starten zijn of ervan dromen om dit te doen. De branche biedt deze groep ook veel mogelijkheden om (een kleine) ondernemer te worden. Met flexibele werktijden en flexibele werkplekken, zoals de eigen woning, kunnen vrouwen het uitbaten van een webwinkel relatief makkelijk combineren met bijvoorbeeld de zorg voor het gezin. En het is algemeen bekend dat vrouwen 80 procent van de totale consumentenaankopen bepalen. Wie weet er nu beter wat, waar en hoe vrouwen willen kopen dan… vrouwen? Toen Suzan op zoek was naar draagvlak voor *Internetgodinnen*, gingen overal de deuren wagenwijd open. 'Ja, natuurlijk willen wij vrouwen stimuleren om ook online te gaan ondernemen!' luidde overal het antwoord. Het resultaat van Suzans samenwerking met succesvolle vrouwelijke internetondernemers, branche-experts en enkele media is een actueel, helder en waarheidsgetrouw beeld van een nog altijd sterk in ontwikkeling zijnde markt en de toenemende opkomst van vrouwen hierin.

Meer weten over Suzan Eikelenstam?
www.internetgodinnen.nl
www.hyperz.nl
http://twitter.com/HyperzPR

Dankwoord

Dit boek was er niet als zodanig gekomen zonder het enthousiasme en de medewerking van een groot aantal personen. Ik bedank Erwin Koning, mijn uitgever bij De Boekerij, en zijn collega's Agnes, Marc en Kirsten. *Internetgodinnen* is het resultaat van vier maanden hard samenwerken.

Mijn dank gaat ook uit naar de vijf toponderneemsters die ik mocht interviewen over het geheim achter hun successen, over hun fouten en over hun toekomstvisie voor de e-commerce sector. Marianne van Leeuwen, Simone van Trojen, Claudia Willemsen, Tineke Sluiter en Fleur Kriegsman zijn namen die we in Nederland en wellicht daarbuiten nog veel gaan horen. Hetzelfde geldt voor Lara de Graaf, Serena Verbon, Paulien van der Goes, Bianca de Winter en Dorien Berkhout, die mij openhartig te woord stonden over hun beginnende succes.

Danny Mekić, Marieke Verdonk, Wijnand Jongen, Durk Jan de Bruin en de andere experts die hun bijdrage hebben geleverd door hun vakkennis met mij te delen, wil ik ook van harte bedanken. Zij geven dit boek extra meerwaarde. De expertise en de ervaring die zij gedurende jaren hebben opgebouwd, is niet te vinden op Google.

En dan zijn er de familie en vrienden, die meedenken en af en toe voor welkome afleiding zorgen. In mijn geval zijn dat mijn lieve ouders Hans en Marjan Eikelenstam, mijn broer Erik Eikelenstam en mijn grootmoeder Diny Hekker. Mijn grootvader Joop Hekker, die de schrijfster in mij al zag toen ik een meisje was en die trots alles van mijn hand las, maakt het niet meer mee. Ik draag dit eerste boek aan hem op. Ik denk hierbij ook aan Jop en An Eikelenstam, mijn grootouders, aan wier keukentafel mijn Nederlands verbeterd werd tot ik opa's Zweedse raadsels kon oplossen.

Aan mijn vrienden Johan Huijgen, Laura Huijgen-Trivulzio, Vera van der Horst en Martijn van der Schaaf: bedankt dat jullie altijd wilden luisteren en zo enthousiast zijn over mijn droom. Mark Tigchelaar, bedankt voor je handige tips toen ik mijn eerste stappen in uitgeversland zette. Fleur en Isabelle Kriegsman, het is toch maar iets moois wat wij hebben overgehouden ❤

Het is onmogelijk om al die mensen, waarmee ik de leukste gesprekken heb gevoerd over *Internetgodinnen*, persoonlijk te noemen, maar ben jij een van die personen?
BEDANKT!

Suzan Eikelenstam